D0189506

LAS FIERAS
FUTBOL
CLUB

Título original en alemán
Die Wilden Fussballkerle: Felix der Wirbelwind

Las Fieras Futbol Club: Félix el Torbellino
Primera edición, abril de 2013

Traducción de Rosa M. Sala Carbó

Bradley 52, Anzures DF-11590, México
www.edicionesb.mx
editorial@edicionesb.com

ISBN: 978-607-480-414-0

Impreso en México | *Printed in Mexico*

Joachim Masannek

FÉLIX
el Torbellino

Ilustraciones: **Jan Birck**

Barcelona · México · Bogotá · Buenos Aires · Caracas
Madrid · Miami · Montevideo · Santiago de Chile

LAS FIERAS

Ejem..., perdón, me llamo Félix, Félix Thörl. Puede que ya hayan oído hablar de mí. Casi todos me llaman «Asmas», porque suelo tener ataques de asma, pero para los que me aprecian, para Las Fieras, claro, soy «el Torbellino».

Lo soy, por ejemplo, para Fabi, el defensa derecho más rápido del mundo. Siempre está en plena forma, y si estás en un apuro y necesitas un consejo, lo mejor que puedes hacer es hablar con él. Las ideas de Fabi son de lo más locas pero después sonríe de esa manera que es sólo suya y se libra del castigo.

Sí, Fabi es una Fiera, pero León, su mejor amigo, aún lo es más. A León el Gran Driblador, goleador y autor de pases relámpago a gol, no le da miedo nada.

Hace lo que quiere, y lo que quiere es ganar. De ahí que a veces no marque o pase la pelota y también puede llegar a ser muy desconsiderado.

Antes del último partido echó a Joschka y a Raban del equipo. Dijo que no eran lo bastante buenos.

Marlon nunca haría una cosa así. Marlon es el hermano mayor de León y tampoco se rinde, pero él, en cambio, no es nada desconsiderado. Es el número 10, el corazón de nuestro equipo y todo lo que hace lo hace por el equipo.

Manda unos pases geniales al interior del área, ayuda en la defensa y en el ataque y, aunque siempre está donde se le necesita, nunca se nota que esté ahí, es como si llevara una capa que lo hiciera invisible o algo así.

Juli es completamente distinto, Juli Huckleberry Fort Knox, el cuatro en uno. Gracias a él somos tres más sobre el terreno de juego. O eso al menos creen nuestros rivales. Van con el árbitro y se quejan. Dicen que Juli los acosa por todas partes y que en realidad somos diez. Pero cuando el árbitro lo comprueba, siempre sumamos sólo siete. ¡Ja! Juli es quien más pelotas pasa. Se la da a Marlon y él abre juego a la derecha, como Lothar Matthäus (uno de los mejores futbolistas alemanes). Allí está Fabi, que sube a toda velocidad por la banda y busca a León, que es el que generalmente anota. Y si no mete un gol es porque lo paran cometiéndole una falta en el último segundo, se tira gimiendo al suelo, aunque si lo miras con atención se ve que se está riendo por dentro.

Y ahora le toca a Maxi, Maxi Futbolín Maximilian, el hombre del tiro más potente del mundo. Hay que advertir que Maxi no habla mucho. La verdad es que no dice nada de nada. Desde que lo conozco nunca lo he oído hablar, ni siquiera cuando está al teléfono.

Pero cuando cobra una falta o chuta un balón, esboza su famosa sonrisa, silenciosa y traviesa, y catapulta la pelota, y si es necesario también al portero, al fondo de la red. «¡BANG!», gritamos nosotros entonces, y «¡RRRAAA!» cuando anota. Y el que más grita es Raban. Raban el Héroe, que juega futbol igual que un ciego que se dedica a tomar fotos. En eso seguramente tiene razón León, pero ahora no viene al caso. Estuvo de nuestra parte incluso después de que León lo corriera del equipo y, maldita sea, nos dio una lección. Cuando lo teníamos todo perdido (un partido crucial, nuestro campo de futbol, nuestro honor y nuestro orgullo), Raban fue a buscar a Willi y aparte metió el gol de la victoria.

¿Ven? Hasta alguien como Raban es importante. Lo hemos comprobado. Es un amigo fiel e irreemplazable, lo mismo que Joschka, que es parte de los refuerzos. Joschka es el hermano pequeño de Juli y acaba de cumplir seis años, pero fue él quien nos salvó al final. En el último momento trajo a Sock, el perro de León y Marlon, que tiene unas grandes orejas de murciélago, e hizo que Michi el Gordo huyera.

Madre mía, aquello sí que fue muy atinado.

¿Han visto alguna vez una medusa de cien kilos intentando saltar una valla? Aún nos partimos de la risa sólo de recordarlo.

Desde ese momento sabemos que juntos formamos un gran equipo.

Excepto yo, Félix, el defensa izquierdo, el Torbellino. Tengo asma y cada vez juego peor.

Mucho peor desde que mi padre no vive conmigo. Llegará un momento, estoy seguro de eso, en que seré tan malo que me echarán del equipo.

Y la competencia crece. Ya hay dos nuevos en el equipo. Markus el Invencible y Jojo, el que baila con el balón. Los dos son muy buenos. Si alguien le

metiera un gol a Markus, aparecería en el libro de los récords Guinness.

Y Jojo juega de defensa izquierdo en mi lugar cuando yo no puedo por culpa del asma. Así están las cosas y ni siquiera Willi puede hacer nada para evitarlo.

Willi es nuestro entrenador. Es el mejor entrenador del mundo y por eso Las Fieras también somos el mejor equipo que existe. Al menos, yo no quisiera jugar en ningún otro. Para mí, el mundo sólo funciona bien cuando juego con ellos.

Pero el mundo no funciona bien, créanme. Por todas partes acecha el peligro, y el peligro siempre aparece cuando menos te lo esperas. Eso es lo que nos pasó esta vez, y les aseguro que nos agarró bien fuerte. Si leen este libro, espero que no les pase nada: esta vez la cosa iba en serio, y lo que cuento no es ninguna historia para niños. Lo que explico es real, peligroso y feroz.

Primero llegó un alumno nuevo a nuestro salón: Rocce el Mago, el hijo de una estrella del futbol brasileño. Y este niño no se hizo nuestro amigo. No, en serio. Al contrario, se convirtió en nuestro enemigo. Y de repente la existencia de Las Fieras se vio amenazada. De repente, Las Fieras dejamos de existir. De repente, resultó que no éramos nada. Y quien lo aseguraba era nada menos que el Bayern. Sí, han oído bien: hablo del Bayern de Múnich, el equipo con más triunfos del mundo.

¿Cómo podíamos defendernos de ellos? ¿Cómo evitar que Las Fieras desaparecieran y que nadie volviera a saber de nosotros nunca más? Además estábamos completamente solos, ¿saben?, porque Willi, nuestro entrenador, nos dejó plantados.

EL PRINCIPIO DEL FIN

Todo empezó de maravilla. Después de las vacaciones de Semana Santa todo iba bien. Raban el Héroe flotaba como a tres metros del suelo, como un globo pelirrojo con lentes de fondo de botella iba por encima de nuestras cabezas, contándole a cualquiera que se cruzara en su camino la historia de nuestra victoria:

—No lo va a creer, pero íbamos perdiendo siete a cero. Sí, de verdad, contra los Vencedores Invencibles. Esos brutos, además de ser más altos, fuertes y pesados que nosotros, se habían pintado la cara, como si quisieran arrancarnos la cabeza, los muy cobardes. Pero entonces fui a buscar a Willi y, ¡con gusto!, acabamos con ellos. Y fui yo, sí, yo, y con la izquierda y eso que no es mi pierna buena, quien los corrió para siempre del campo de futbol. ¡DABAMM!

Cuando gritaba su ¡DABAMM! nos reíamos y dejábamos que siguiera hablando, aunque eso de que su pierna izquierda no servía no le creíamos nada. Para tener una pierna mal hay que tener una buena, y Raban no tiene ninguna de las dos. Pero lo demás es verdad y fue algo maravilloso: les ganamos a los Vencedores Invencibles y defendimos nuestro campo. Pero lo que era aún más importante: dejamos de ser unos niños que pateaban la pelota para convertirnos en un auténtico equipo de futbol. Crecimos y nos hicimos más adultos e inseparables, o eso pensábamos entonces.

Si me lo preguntan hoy, les diría que eso fue el principio del fin. Entonces aún no lo sabíamos o, mejor dicho, no queríamos saberlo. Nos hicimos los que no veían, soñamos otra vez como niños y nos dormimos en nuestros triunfos.

Lo primero que hicimos fue cumplir el castigo de Maxi. Veinte días le había dicho su padre. Veinte días, maldición, ¿saben lo que es eso cuando se tienen nueve años? Se los diré: es toda una vida. Toda una vida y más. Y sólo porque Maxi había roto las dos ventanas de la sala de estar de su casa, una con una pelota y la otra con un globo terráqueo que terminó dándole de lleno en la cabeza a su padre; eso es mala suerte.

Pero su papá no lo vio así. Es un banquero, ¿saben?, no una Fiera, y en un banco te condenarían a cadena perpetua por romper una ventana. Qué le vamos a hacer. Lo único que nos quedaba era ser solidarios y compartir el castigo con Maxi.

Veinte días entre diez eran dos días para cada uno. Dos días castigados sin salir de casa parecían soportables. Pero para Fabi, que odiaba tener que quedarse en su casa, incluso dos días eran demasiados. Y cuando las cosas se ponían difíciles, Fabi siempre encontraba una salida aunque pareciera no haber ninguna, así que también esta vez ideó un plan.

El primer día después de las vacaciones de Semana Santa, en cuanto salimos de la escuela, todos fuimos al número 1 de la lujosa calle Alten Allee.

Pasamos en fila india enfrente de la sorprendida madre de Maxi, que pocas veces había visto a tantos niños juntos y menos a tantas Fieras. La fuimos saludando uno por uno, amablemente, y al ver su expresión de asombro, le deseamos que recuperara pronto la respiración. Subimos con paso firme la reluciente escalera encerada, que después de que pasamos ya no quedó tan reluciente, y entramos al cuarto de Maxi. Él compartía la recámara con su hermana y ahí estaba una casa de muñecas barbie, pero no nos importó. Fabi metió las barbies en un cajón, y cuando Julia, la hermana de Maxi, se puso a llorar, Fabi le puso una almohada en cada mano y le dijo que ahora era una porrista. Mientras, los demás nos imaginamos un campo de futbol en miniatura y convertimos la casa de muñecas en un estadio donde se jugaría la copa de un torneo. Bueno, no era un torneo de verdad. En realidad se trataba de meter tantos goles como pudiéramos, porque lo que Fabi planeó era que cada vez que metiéramos un gol, Julia bailaría. Al principio a ella eso no le pareció muy divertido. Lloraba y se sorbía los mocos, y sólo utilizaba las almohadas para sonarse la nariz.

Pero Fabi era muy paciente. Le explicó varias veces lo que tenía que hacer para convertirse en una porrista de verdad y al final Julia empezó a divertirse. Movía las almohadas en forma de remolino, daba vueltas, botaba y saltaba cada vez más alto y por todos lados. De pronto se subió a la cama y, aprovechando el impulso del colchón, siguió rebotando. El suelo temblaba. «Bumm», Julia se reía y gritaba feliz, pero debajo de nosotros el techo de la sala de estar también retumbaba.

«Bumm», eso era exactamente lo que Fabi había planeado. «Bumm», temblaba el techo de la sala de estar; «clinc-clinc», tintineaba la gran lámpara de cristal que había sobre la mesa. Y el que estaba sentado a la mesa era justamente el padre de Maxi, que intentaba leer el periódico. Los «bumm» y «clinc-clinc» lo molestaban, lo estaban poniendo nervioso. Era sólo cuestión de tiempo que estallara: justo lo que Fabi había planeado.

De pronto, el padre de Maxi se levantó, caminó escaleras arriba y entró en la recámara con el terrible propósito de aumentar el castigo de su hijo otra vez.

—Creo, señores, que esto es... —Venía dispuesto a arrancarnos la cabeza, pero se quedó sin palabras al vernos sentados en el suelo y en silencio. La única que saltaba de arriba abajo salvajemente, gritaba y chillaba: «Adelante Fieras, metan otro gol», era Julia.

El padre de Maxi se quedó como piedra. Parecía un verdugo tragándose una mosca porque no quería asustar a su hijita. No era capaz de enojarse con ella, justo lo que Fabi había pensado.

—Qué linda se ve, ¿verdad? —dijo Fabi, y sonrió amigablemente al padre de Maxi—. Señor Maximilian, no tuvimos el valor de decirle que no lo hiciera.

Los ojos del padre de Maxi se hicieron pequeños y miró molesto a Fabi, pero él no se asustó.

—A lo mejor usted consigue que pare, señor Maximilian —dijo Fabi con expresión convencida—. Es que, ¿sabe?, tanto rebote nos está poniendo nerviosos.

Julia se quedó quieta y empezó a lloriquear.

—¡Oh, qué malos! ¡Papito!, son unos niños malos —sollozó y rodeó las piernas de su padre con sus bracitos. En aquellos momentos, el papá de Maxi estaba dispuesto a todo, parecía que quería matar a Fabi, pero no podía hacer nada.

Fabi respiró hondo y dijo:

—¿Ve, señor Maximilian? —Suspiró—. Eran estos lloriqueos los que queríamos evitarle a Julia.

Por un momento reinó un silencio mortal que incluso se tragó los gemidos y los gritos de la hermana de Maxi.

Entonces, el padre de Maxi consiguió hablar y oímos un grito asfixiado y gutural que decía:

—¡Fuera!

—¿Cómo? —preguntó Fabi amablemente, haciéndose el sorprendido.

—¡Fuera! —Esta vez sonó mucho más claro.

—Pero estamos castigados. No podemos salir de la casa —replicó Fabi.

Pero el padre de Maxi no quería saber nada del castigo. Escupió las palabras como si se estuviera ahogando con ellas:

—¡Fuera! Se acabó el castigo —ordenó. Y esta vez se le entendió muy bien.

Antes de que pasara un segundo ya habíamos salido de la casa y corríamos calle arriba y no paramos hasta estar fuera del alcance de sus oídos. Entonces nos pasamos al menos media hora doblándonos de la risa.

Después nos fuimos a donde habíamos querido estar todo el tiempo: al campo de futbol, a poner otra vez en pie la tienda de Willi que los Vencedores Invencibles habían destruido. A decir verdad, eran ellos los que hubieran tenido que reparar el daño: ése era el trato. Pero a Michi el Gordo, al Bola de Sebo, al Pulpo, a Kong y a como fuera que se llamaran los demás no les dio la gana hacerlo y no podíamos dejar a Willi en la calle.

Los días y semanas siguientes fueron tranquilos, divertidos y bonitos. Nos dedicamos a reparar la tienda, a jugar futbol y, en los ratos de descanso, a escuchar las cosas que nos contaba Willi de Gerd Müller, Maradona, Franz Beckenbauer o Pelé. Cerrábamos los ojos y soñábamos con llegar a ser profesionales y jugar en las canchas más importantes del planeta, con el estadio a reventar, para ganar la copa del mundo. Ése era nuestro sueño y todos estábamos convencidos de que se haría realidad. Pensábamos que nos faltaba poco para conseguirlo. Pero, por desgracia, no sólo cerrábamos los ojos para soñar: también los cerrábamos para no ver la verdad.

Ya se los dije. Eso fue el principio del fin. Hasta Raban, que flotaba como un globo por encima de nuestras cabezas y le contaba a todo al mundo la historia de nuestro triunfo, se fue desinflando. Nuestra victoria empezó a hacerse aburrida y tonta, y Willi empezó a bostezar cuando nos oía platicar sobre aquello.

Hasta que al fin nos preguntó que qué era un indio sin su espíritu guerrero o sin cazar búfalos. Lo miramos como si saliera directamente de una nave espacial que venía de Marte. Entonces nos preguntó qué nos parecería si Luke Skywalker se escondiera de Darth Vader. Le contestamos que Luke Skywalker nunca haría eso. Pero nos hizo una tercera pregunta: ¿seguiría existiendo el Bayern de Múnich si desaparecieran la liga alemana y la liga de campeones?

Lo digo de nuevo, no entendíamos adónde quería llegar. O sería mejor decir que no queríamos entenderlo. Y por eso fuimos derecho hacia un gran peligro. Un peligro que amenazó la existencia de Las Fieras, que hizo pedazos nuestros sueños y que nos quitó todo lo que era importante para nosotros.

ROCCE

El peligro apareció un día después de vacaciones. El primer día de clase es bastante malo, creo yo, como para que encima te pases la noche anterior tosiendo. Por la mañana, obviamente, se me pegaron las sábanas, así que ya pueden suponer que no me levanté de buen humor. Llegué tarde a la escuela y, sin sospechar nada, me metí en el salón y fui a mi lugar. Pero a medio camino me paré en seco, desconcertado.

La silla entre León y Fabi, la mía, estaba ocupada por un niño de piel cobriza y cabellos negros como el azabache. Entonces escuché detrás de mí la voz del profe:

—Rocce es brasileño. Su padre trabaja aquí, esta temporada jugará con el Bayern de Múnich.

Un murmullo cruzó por el salón. León, Juli y Fabi miraron con respeto y reverencia al niño que estaba sentado en mi silla.

—¡Uauh! —dijeron todos. León y Fabi chocaron las manos.

—¿Qué te dije? —Fabi sonrió entusiasmado—. Es hijo de un dios del futbol.

Rocce sonrió orgulloso al escucharlo, pero a mí nadie me prestaba atención. Ni siquiera el profe parecía notar que me había quedado en medio del pasillo.

—Ya sabía que les interesaría —dijo sonriendo el profe—, pero les propongo que dejen las preguntas sobre la vida de su compañero para el recreo.

Entonces escribió la palabra «Brasil» en el pizarrón.

—Hablemos de Brasil —dijo en el tono en que los maestros proponen cosas que no se pueden rechazar.

Yo no tenía ganas de hablar de Brasil. Pero ¿cómo iba a saberlo el profe si ni siquiera se había enterado de que yo estaba ahí?

—¿Quién sabe algo del país del que viene Rocce? —preguntó y se volteó hacia nosotros—. Quiero decir, aparte de que se juega futbol.

El profe reaccionó con una sonrisa paciente ante el silencio general. Nadie lo había escuchado. Nadie excepto yo.

—En Brasil, seguramente la gente se sienta en el suelo —contesté molesto.

Por fin se dieron cuenta de que estaba ahí, en mitad del pasillo. Rocce arrugó la frente y me miró molesto. Al profe tampoco le gustó mi comentario.

—Ah, buenos días, Félix —dijo—. ¿Puedes explicarnos lo que acabas de decir?

—Pues claro —contesté aún como buscando pelea—. Es obvio que en Brasil no hay sillas. Si no, Rocce no me hubiera robado la mía.

—Ah —repitió el profe, entendiendo por fin por qué yo estaba molesto. Miró a León y a Fabi, que estaban sentados al lado de Rocce—. Pensaba que habían hablado del cambio de lugar con Félix.

Fabi y León se pusieron incómodos y se miraban las agujetas de los zapatos.

—Ya veo —afirmó el profe—. En el recreo lo aclararán, por favor. Mientras, siéntate al lado de Raban, Félix, ¿me escuchas?

Por supuesto que lo escuchaba. Lancé una mirada venenosa a León y a Fabi, y cuando ya iba a sentarme en la silla vacía que estaba junto a Raban, Rocce se me adelantó.

—Hola, Félix —dijo—. Porque tú eres Félix el Torbellino, ¿no? —Sonrió amistosamente—. ¿Sabes? Lamento mucho lo de tu lugar.

Me le quedé viendo fijamente y me detuve en su sonrisa, me di la vuelta y me senté entre León y Fabi, en mi silla, porque Rocce la había dejado libre.

—¡Eh! ¿Qué pasa? —preguntó León—. Creíamos que estabas enfermo.

—Sí, maldita sea —suspiró Fabi—. Lo sentimos mucho. Palabra de honor, Félix.

Su palabra de honor me importaba un rábano. Abrí el libro y no levanté los ojos de sus ilustraciones.

—Rocce es buena gente —dijo Juli desde la fila de atrás—. Después va a venir a entrenar con nosotros. Genial, ¿no?

—¿Ah, sí? —respondí con toda la maldad que pude—. ¿Y quién vendrá a entrenar, Rocce o su papá?

Miré a Rocce.

—Quiero decir, el profesional es tu papá, no tú, ¿verdad? Así que, ¿cómo sabemos que eres bueno?

Rocce frunció el ceño y miró a León y a Fabi.

—Bueno, eso no importa tanto —intervino Raban—. Es agradable y no tiene amigos aquí.

—¿Y? —titubeé—. Juega tú con él en el recreo.

Se hizo el silencio. Hasta el maestro estaba callado y parecía no querer empezar la clase.

—Lo siento —dijo León a Rocce—. Félix no siempre es así. Es sólo que tiene miedo de que lo saques del equipo. ¿O me equivoco?

León dio en el blanco, pero no quise admitirlo, por supuesto. Me quedé mirando por la ventana y no contesté.

«Váyanse al diablo —pensé—. Rocce nunca será mi amigo. Rocce no es simpático ni buena gente. Ya lo verán. Un presumido, eso es lo que es...».

Sí, eso era exactamente lo que pensaba. Estaba completamente convencido de tener la razón y de que no pasaría demasiado tiempo para que todos se dieran cuenta de que yo estaba en lo correcto.

ROCCE EL MAGO

Por la tarde, cuando llegué al entrenamiento, ya estaban todos. Todos excepto Rocce. Se habían sentado en círculo alrededor de Willi y hablaban entusiasmados del niño prodigio brasileño. ¿De qué iban a hablar, si no era de eso? Jojo y Markus, que iban a otra escuela y no conocían a Rocce, no salían de su asombro.

—¡Uauh! —exclamó Jojo—. El hijo de Ribaldo, ¿lo dicen en serio?

Markus silbó delicadamente.

—Sólo jugando la mitad de bien que su papá, ya será como un dios.

Puse los ojos en blanco.

—¿Un dios? No me hagan reír. Entonces, ¿por qué se esconde?

Los demás me miraron confundidos y Willi frunció el ceño.

—Sí, así es. Apuesto lo que quieran a que no viene —insistí para calentar el ambiente—. No se atreve. Tiene miedo porque en realidad no es nada bueno.

En ese momento alguien me dio una palmadita en el hombro.

—Hola, Félix —dijo Rocce. Pasó a mi lado y se sentó con los demás, que lo saludaron entusiasmados.

—Ey, Rocce.

—Qué bien.

—¡Uauh! La camiseta está de lujo.

—¿Qué tacos llevas?

Rocce vestía una camiseta de la selección brasileña y unos tacos dorados deslumbrantes.

—Son de mi papá —dijo orgulloso.

Otra vez puse los ojos en blanco. «Que presumido», pensé. Pero los demás no pensaban igual. Willi hasta se puso de pie, cosa que no había hecho nunca por ninguno de nosotros, y le dio la mano a Rocce.

—Así que tú eres Rocce —dijo. Pero lo interrumpí lanzándole la pelota a Rocce.
Willi me miró. Le sostuve la mirada.

—¿Qué estamos esperando? —exigí—. Yo vine a entrenar.

Willi volvió a mirar a Rocce. Se echó la gorra hacia atrás y se rascó la frente. Siempre que hacía eso era porque estaba pensando.

—Ejem, entiendo. Pues, vamos, jugaremos cuatro contra dos. Ustedes cuatro: Fabi, León, Rocce y Félix, contra Raban y yo.

Cerré los puños y apreté los labios. Rocce y yo juntos en un equipo. No me lo había imaginado así. Pero la mirada de Willi no permitiría discusiones.

—Está bien —accedí—. ¿Cuántos pases?

—Siete —contestó Willi—. Si logran siete pases sin que Raban o yo les quitemos la pelota, tienen un punto. Si no, el punto es para nosotros. El primero que llegue a tres puntos gana.

Miré a Rocce como si fuera un enemigo.

—Siete pases. ¿Escuchaste?

—Sí, siete —asintió Rocce—. Entendido.

—Bien. Entonces, todo claro. —Elevé la pelota con el pie y la agarré—. ¡Ah!, Rocce, una cosa —dije—, en nuestro equipo los que nos intentan quitar la pelota nunca han ganado.

Corrí a mi puesto, solté la pelota y esperé a que todos estuvieran en su lugar. León, Fabi, Rocce y yo dejamos unos seis metros entre nosotros, formando un cuadrado. Raban y Willi se pusieron en medio, al acecho. El primer pase fue suave, para empezar a movernos. Willi y Raban se nos echaron encima en seguida. Si queríamos ganar, los pases tenían que ser rápidos y precisos. Pero yo no quería ganar. Quería que perdiéramos por culpa de Rocce. Por eso le pasé en seguida la pelota a él. Se la lancé angulada y con poca altura. Sabía que eso iba contra las reglas, pero quería que Raban le quitara el balón al primer pase. «Precisamente Raban —pensé—, qué divertido».

Todos se burlarían de Rocce y yo conservaría mi lugar en el equipo. Sí. Yo no me rendía tan fácilmente.

El plan funcionaba. Raban vio el pase y también pensó que una pelota como aquélla no había quien la controlara. Por eso se fue rápido hacia Rocce, convencido de recoger el rebote. Pero Raban se encontró con la nada. Rocce paró el balón con el dedo gordo del pie, como si alguien se lo hubiera untado con pegamento, se lo subió al muslo, lo pasó por encima de Raban, lo tomó con la izquierda y lo centró tranquilamente hacia Fabi antes de que Willi le llegara.

Pero ni Fabi ni León se movieron del lugar. Estaban tan asombrados como yo.

—Maldita sea —gritó Raban—. Eso fue increíble.

—No, fue magia pura —gritó Fabi, recogiendo por fin la pelota y pasándosela a León—. ¡Tres! —contó en voz alta.

Me desmarqué rápido.

—¡Aquí! —Se la pedí a gritos. Pero León se la devolvió a Fabi y éste se la pasó a Rocce a pesar de que yo había vuelto a gritarle: «¡Aquí!», y estaba desmarcado.

—Cinco —contaron Fabi y León al mismo tiempo. Pero Willi y Raban marcaban a Rocce y en seguida le entraron. El espacio que le quedaba a Rocce era más pequeño que un ratón, pero él no perdió la cabeza. Pisó la pelota, echó las nalgas hacia atrás, giró un cuarto de vuelta sobre sí mismo, gritó: «Félix, va», impulsó el balón hacia arriba en vertical y me lo devolvió cabeceándolo con la nuca.

—Seis —gritó—. Vamos, Félix, por el séptimo.

No me moví. Me había dejado pasmado y eso aún me puso más furioso. Quería admitir que me había equivocado con Rocce, pero no podía. No podía aceptar que fuese tan bueno.

—Félix, pásala rápido —chilló Fabi. Lo miré desconcertado: no encontraba la pelota.

—Por el amor de Dios —estalló León—. ¿Estás ciego? Está enfrente de ti.

Tenía razón. Me puse rojo de la vergüenza. Inseguro, levanté el pie. León estaba libre. El séptimo pase parecía un juego de niños, pero Raban lo interceptó.

—Uno a cero para el equipo de Willi —gritó triunfante mientras Fabi y León se llevaban las manos a la cabeza.

—Félix, ¿qué te pasa?

Miré a Willi buscando ayuda, pero no dijo nada: estaba esperando a ver qué hacía yo. Pero yo no podía hacer nada. Estaba avergonzado. En lugar de Rocce, había sido yo quien había perdido la pelota ante Raban y eso me acabó de colmar la paciencia. Ya no estaba enojado con Rocce. Estaba enojado conmigo mismo.

—Bueno, sigamos —accedí de mala gana. Tomé la pelota y esta vez se la pasé a León limpiamente.

—Uno —grité para darme ánimos.

Pero el pase fue demasiado corto.

—Félix, maldita sea —exclamó León adelantándose en el último segundo a Raban y pasando el balón a Fabi. Éste se lo devolvió a León, que lo centró a Rocce.

—Cuatro —grité.

Pero el pase no fue del todo preciso. Willi se cruzó. Seguramente iba a cortarlo. Pero Rocce llegó a la pelota antes que Willi, la elevó con el pie izquierdo y me la tiró con un toque del empeine derecho.

«Pero ¿cómo es posible?», pensé asombrado, y

paré la pelota con la derecha. Las palabras: «Ahora no puedes fallar», retumbaron en mi cabeza. Por eso planté la pelota y finté con el pie izquierdo, con la intención de centrar con el derecho. Pero fui demasiado lento y Raban me quitó la pelota.

—Dos a cero para el equipo de Willi —gritó.

En ese momento lo único que quería era encontrar un agujero en el campo y desaparecer en él.

Entonces se me acercó Rocce.

—Félix —dijo cortésmente—, ¿puedo decirte una cosa?

Lo miré.

—¿Cuál?

Rocce sostuvo mi mirada.

—Yo siempre paro la pelota con el pie con el que menos habilidad tengo. Así puedo jugarla con el pie que soy mejor en seguida.

Preparó el balón con la izquierda y me lo pasó con la derecha a la velocidad del rayo.

—¿Lo ves? —Sonrió. Yo lo miré echando chispas. «¿Pie con el que menos habilidad tiene? —pensé—, para jugar así hay que tener cinco pies hábiles».

Rocce tomó la pelota.

—Ahora va en serio —les gritó a los demás—. Los tres próximos puntos van a ser nuestros, ¿sale?

Yo tragué saliva nervioso, pero Rocce no perdía el tiempo. El balón ya iba hacia León, que hizo una pared con Fabi y me lo envió a mí. «Esta vez tengo que lograrlo», pensé, y entonces vi que Raban y

Willi se me venían encima. Mi pie derecho se movió automáticamente. «No, está mal», retumbó en mi cabeza, y en seguida retiré el pie. Pero fue un error, porque la pelota se me pasó entre las piernas y —¡oh, por Dios!— yo solo me hice un túnel. Me volteé vertiginosamente, me interpuse entre la bola y Raban, paré la pelota con la izquierda e inmediatamente se la pasé a Rocce con la derecha.

—¡Uauh! —gritó él—. Mucho mejor.

Yo estaba radiante.

—Cinco —grité bien alto.

El resto fue fácil, y León y Fabi nos dieron el punto. En la siguiente jugada también anotamos el punto tras los siete pases correspondientes. Estábamos dos a dos. Había llegado el punto decisivo.

Sacó León, la mandó a Rocce y Rocce me la pasó. La cosa iba de maravilla. Raban se resbaló en el vacío y al quinto pase empezó a decir palabrotas.

—Esto es una injusticia —gritó. Rocce es demasiado bueno.

Pero Willi no pensaba lo mismo. Se enderezó y demostró su habilidad. Por un momento nos quedamos boquiabiertos. Nunca le habíamos visto jugar tan bien. Era incluso mejor que Rocce, a pesar de que cojeaba. Nos costó mucho hacer el sexto. Un pase más y habríamos ganado. Pero no fue fácil. Rocce tenía la pelota y Willi estaba presionándolo. Al final, Rocce logró pasármela, pero con muchas dificultades. El pase fue muy impreciso, demasiado fuerte y a media altura. Me iba a ser imposible controlar esa pelota con el pie. Miré a mi alrededor. Atrás de mí estaba Raban y me di cuenta de que tenían la oportunidad de ganar. De modo que me precipité sobre el balón en caída y lo desvié hacia León con la sien derecha. Éste lo paró muy tranquilo con el pecho.

—¡Yabadabadú! El séptimo —gritó—. Lo conseguimos.

—Estuviste genial, Félix —añadió Fabi.

Pero yo, en el suelo, miraba a Rocce.

—Gracias —le dije.

—¿Por qué? —Se encogió de hombros sonriendo—. De no ser por ti, hubiéramos perdido.

Me ayudó a levantarme y nos acercamos todos a la tienda de Willi. Éste repartió jugos de manzana y nos sentamos en la hierba alrededor de Rocce. Nos contó cosas de las playas de Brasil y de todos los amigos que tenía allá. Nos contó lo triste que se puso cuando se tuvo que ir y lo contento que estaba de conocernos. Después hizo una pausa y se quedó absorto mirando sus tacos dorados.

—Me gustaría mucho jugar con ustedes —dijo—. ¿A ustedes también conmigo?

—Claro —gritaron todos—. ¿Por qué preguntas tonterías?

Pero Rocce no los escuchaba. Apartó la mirada de los tacos y me miró a mí.

—¿Y tú qué dices? —preguntó en voz baja.

Me sonrojé e intenté aclararme la garganta. Rocce se puso nervioso.

—¿A ti también te gustaría?

—No sabes cuánto —conseguí decir al fin—. Claro que quiero.

Le sonreí. La rabia y la envidia que sentía antes se habían esfumado. En aquellos momentos hubiera puesto la mano en el fuego por Rocce. Y si alguien me hubiera dicho lo que pasaría la mañana siguiente, le hubiera llamado mentiroso y canalla.

FÉLIX TIENE RAZÓN

A la mañana siguiente estábamos esperando a Rocce en el patio de la escuela. Nos sentíamos como si tuviéramos doce años o más. Ahora éramos un equipo con un auténtico brasileño. Algo así sólo pasaba en la liga nacional. Y cuando juegas en la liga nacional todo el mundo sabe que estás en la cima. Entonces ya no te asusta Michi el Gordo.

Michi apareció de repente, esforzándose para que la panza no le reventara la camiseta de Darth Vader al caminar. Respiraba con dificultad como una ballena vieja. Sus ojos, que parecían disparar rayos láser entre la grasa de su cara, nos investigaban para detectar, como siempre, los puntos débiles del enemigo.

—Quítate, Asmas, muévete de mi camino —dijo.

Atrás de él venía el Pulpo, Kong el Chino y el Guadaña con una cadena de bicicleta en el cuello.

Tragué saliva y tuve miedo de que me diera un ataque. Para mí, los ataques de asma y Michi el Gordo siempre van juntos. Pero mi respiración siguió tranquila y, como si estuviera soñando, observé lo que hacía.

—¿Qué quieres aquí? —pregunté a la monstruosa medusa que tenía enfrente—. Esto es una escuela.

Michi el Gordo frunció el ceño. No se había esperado aquello y era evidente que no se le ocurría qué contestar.

—Van a la escuela los niños inteligentes que quieren aprender cosas —le expliqué sin comprender mi comportamiento. Para algo así sólo se atrevía León y Fabi, pero me la estaba pasando de maravilla—. O será que... ¿crees que eres inteligente? —le pregunté.

El pequeño cerebro de Michi el Gordo trabajaba tanto que sus ojos-láser empezaron a girar como locos. Estaba claro que no me entendía nada.

—Yo creía que los monstruos como tú estaban en el zoológico, ¿ahora sí me entiendes?

—Le ayudé impulsivamente, sin pensar en el problema en que me estaba metiendo.

La cara de Michi el Gordo se hinchó y empezó a brillar desde adentro. Sus ojos-láser me taladraron. Su camiseta de Darth Vader vibró como un volcán a punto de hacer erupción y su respiración sonó como una avalancha viniéndoseme encima.

—¡Asmas, estás muerto! —gritó y extendió sus garras, grandes como tapones de auto, hacia mí. Me agaché rápido como el rayo, pero no lo suficiente. Michi el Gordo me tomó por el cuello y me levantó del suelo sin el menor esfuerzo. Mis piernas patalearon en el vacío.

—Estás muerto, Asmas —repitió y me lanzó su horrible aliento a la cara que creí que iba a asfixiarme.

Pero no me rendí. Aguanté su aliento apestoso y sonreí siniestramente.

—Y tu culo gordo va a ser el desayuno de Sock.

Michi el Gordo se quedó inmóvil y miró asustado a su alrededor. El Pulpo, el Guadaña y Kong también buscaron al perro que tiene León.

—¿Dónde está ese animal? —chilló Michi el Gordo—. Maldita sea, ¿dónde está?

De puro pánico, me zarandeaba y me sacudía.

—Asmas, ¿dónde está ese perro?

—Ahí —dije—. En el estacionamiento, entre los coches. ¿No lo ves? Viene corriendo hacia ti.

Michi el Gordo miró en la dirección que le decía.

—¿Dónde? —gritó—. No lo veo.

—Allí, entre los autobuses, pronto estará aquí. Mejor date prisa, ¿no crees? —Sonreí burlonamente. Michi me soltó y salió corriendo. El Pulpo, el Guadaña y Kong le pisaban los talones.

—Corre, Michi, corre —gritamos a sus espaldas. Nos doblábamos de la risa. Sobre todo porque en aquellos momentos Sock no estaba en Múnich sino con la madre de León de vacaciones en la costa. Pero como Michi el Gordo no lo sabía, huyó del estacionamiento de autobuses a toda prisa y se metió en la escuela como si lo persiguiera un tiranosaurio.

Seguimos riéndonos de él un buen rato.

—Vaya, Félix, estuviste realmente genial —alabó Fabi. Y no paramos de reír hasta que pasó Rocce en el coche de su padre. Nos quedamos con la boca abierta: Giacomo Ribaldo, la estrella brasileña, iba al volante. Después tenía entrenamiento con el Bayern y ya llevaba el pants del equipo. Rocce iba en el asiento trasero y nos miró.

—¡Eh!, Rocce —grité.

—Qué suerte —lo saludó Fabi.

—Hay que ver —gritó Raban—. Que te lleve a la escuela Giacomo Ribaldo personalmente.

—Raban —Juli movió la cabeza—, es su papá.

—Eso —dije yo totalmente impresionado—, es su padre.

Vimos que Rocce nos señalaba. Estaba claro que le decía a su papá algo sobre nosotros. Reventábamos de orgullo y, cuando Giacomo Ribaldo nos miró, fue casi insoportable. Pero después de repasarnos de arriba abajo, completamente frío e inexpresivo, dijo que no con la cabeza. Rocce intentó decirle algo, pero su padre lo cortó tajante: era evidente que para él ya estaba todo decidido. Envió a su hijo, que se resistía a bajar, fuera del coche.

—Rocce —lo llamamos—, ¿qué te pasa?

Rocce miró a su padre, pero éste no se ablandó.

—Nada —dijo—. ¿Qué me va a pasar?

Y pasó enfrente de nosotros sin saludar.

—¡Hey!, Rocce —le llamé—, espera.

Pero él siguió caminando y se metió en la escuela. Nos le quedamos mirando hasta que desapareció. Su padre también esperó hasta entonces y luego se fue.

—«Nada» —repetí con desprecio la respuesta de Rocce—. No me hagan reír. Ese «nada» ya lo conozco. ¿Saben una cosa? No le creo.

—Yo igual —coincidió Fabi—. Bueno, ¿qué esperamos?

No esperábamos nada, así que cruzamos el patio de la escuela a toda velocidad y entramos en el salón. Fuimos todos al lugar de Rocce y formamos un muro adelante de él. Rocce nos dedicó una breve mirada y se puso a buscar algo tontamente en su mochila.

—¿Qué te pasa? —pregunté—. ¿Ya no nos quieres hablar?

Rocce negó con la cabeza.

—¿Y por qué no? —insistí.

Rocce me miró, pero se quedó callado.

—Te hice una pregunta.

—No tengo tiempo para tonterías —replicó Rocce—. Tengo que concentrarme en la clase.

En aquel momento entró el profe, pero no me distraje... Rocce era más importante.

—¿Tienes que concentrarte tanto en la escuela que tampoco vas a venir a entrenar?

Rocce me miró y se encogió de hombros con arrogancia.

—Y qué, si no voy. ¿Pasará algo? ¿Qué puedo aprender de ustedes?

Su mirada era de hielo, aunque los ojos le brillaban un poco, como si estuviera conteniendo dos o tres lágrimas. Pero nosotros no lo tomamos en cuenta. Estábamos furiosos y decepcionados. ¡Yo tenía razón! Rocce no era nuestro amigo, sólo era un fanfarrón.

—Igual de engreído que su padre —concluyó Fabi cuando se lo contó todo a Willi.

Estábamos sentados sobre el pasto sin siquiera pensar en entrenar. Tampoco habíamos tocado los jugos de manzana y, como no teníamos ganas de hacer nada, utilizamos los popotes para escarbar en el pasto. De repente, Markus se levantó.

—Creo que ya sé —exclamó—. No es cosa de Rocce, es su padre quien está detrás eso.

—No, no lo creo. —Negué con la cabeza—. Un papá no hace algo así.

—¿Ah, no? —contraatacó Markus—. ¿Y qué hace el mío? Ya les dije que aprovecha cualquier cosa para impedir que juegue futbol.

—Sí, el tuyo puede ser —dijo León—, pero el padre de Rocce es Ribaldo y ése no juega tenis o golf.

—Tienes razón —gruñó Markus—, pero entonces, ¿qué pasó? Ayer Rocce estuvo muy bien.

—Es verdad —dijo Willi muy serio—. Quizá la razón no sean Rocce ni Ribaldo. Quizá la razón sean ustedes.

—¿Cómo? ¿Qué quieres decir? —gritó León furioso.

Miramos a Willi como si estuviera hablando otra vez de cosas extrañas, de Luke Skywalker y de que se había suspendido la liga nacional. Pero Willi estaba más serio que nunca.

—Quiero decir que piensen en lo que pasó —dijo—. Y si son tan tontos para no verlo, vayan a la casa de Rocce y Ribaldo. Ya verán si no se los restriegan en la cara con frialdad y sin temor.

Lo miramos sin entender nada.

—¿A su casa? —pregunté.

—¿A la casa de Giacomo Ribaldo? —dijo Fabi—. ¿Hablas en serio?

—¿Por qué no? —Sonrió Willi.

—Pero... —protestó Raban—. Estará vigilada. Los guardaespaldas deben de pasearse alrededor como hormigas.

—Y todos con metralletas —añadió Joschka. Hizo «Ratatatatá» con un arma imaginaria y se tiró al suelo con un «Ugggh» de agonía.

—¿Qué no lo entiendes, Willi? —le explicó Marlon—. Giacomo Ribaldo es una estrella.

—Efectivamente —confirmó Willi—. Resulta que es lo que ustedes quieren ser. ¿Tengo razón o no? Entonces, ¿de qué tienen miedo?

Nos pusimos de pie indecisos. Una nube de tormenta oscureció el sol. Miré a Joschka, que seguía tendido en la hierba haciéndose el muerto. Sólo fingía, pero no sé por qué tuve como una corazonada. De alguna manera supe en aquel momento que pronto todos estaríamos allí tirados como él. Pero con una diferencia: entonces no sería de broma, entonces sería en serio.

LA PUERTA DEL CIELO

La calle donde vivía Giacomo Ribaldo se llamaba La Puerta del Cielo. Nunca habíamos estado por allí y al acercarnos esperábamos encontrar auténticas fortalezas que se elevarían sobre nosotros y llegarían a las nubes. Pero fue mucho peor. En cuanto pisamos la calle, las fortalezas se lanzaron sobre la tierra, o eso nos pareció, y clavaron sus altísimos muros en el suelo justo enfrente de nosotros. No parecía que hubiera casas, sólo gigantescos portales en los que no había nombre y que nos decían con toda claridad: «¿Qué vienen a hacer aquí? Aquí no se les ha perdido nada».

Y así era. Pero por desgracia Willi no opinaba lo mismo y, por desgracia, sabíamos el número de la casa de Rocce, se veía sobre un portal oscuro de hierro forjado: 13, como el número que llevaba Giacomo Ribaldo en la camiseta desde hacía años, como el número de Gerd Müller, el

Bombardero nacional, su ídolo y el de León. Pero eso era lo único que nos unía con aquel lugar.

Nos quedamos enfrente de la puerta sin saber qué hacer mientras las nubes de tormenta se amontonaban sobre nosotros. Entonces Fabi se puso a chiflar. Dijo que la canción se llamaba *Knocking on Heaven's Door* y que era de Bob Dylan. Su padre la escuchaba o la silbaba siempre que tenía que hacer algo que le daba miedo. Y también Fabi silbaba *Knocking on Heaven's Door* cuando tocó el timbre.

Durante una eternidad no pasó nada. De pronto se oyó una voz. Hablaba en portugués. El portugués, eso lo sabíamos, era la lengua que se habla en Brasil, pero no entendimos ni jota.

—Ejem, perdone —tartamudeó Fabi y se rascó la cabeza sin saber qué hacer—. Queremos hablar con Rocce.

El graznido que se oyó por el intercomunicador no hubiera sido más espantoso si Fabi hubiera pedido casarse con Rocce. Después se hizo el silencio. Esperamos unos minutos más y, cuando ya estábamos a punto de irnos, oímos un zumbido. Lentamente, una de las alas de la puerta de hierro forjado se levantó y vimos una casa al fondo.

¡Uauh! Al lado de aquélla, la casa donde vivía Maxi era sólo una cabaña insignificante, y la mansión del padre de Markus, quizá, pero sólo quizá, la casa del jardinero. El edificio que teníamos adelante era un castillo y el jardín que lo rodeaba no era un jardín, era un parque. Lentamente, con las rodillas temblando, cruzamos la puerta. El camino que llevaba a la casa era largo como una autopista y se perdía en el horizonte, un horizonte tenebroso y negro. De las nubes caían rayos y truenos, que sonaban como cañonazos. De repente, nos fijamos en que teníamos las uñas sucias. Nos las limpiamos con los dientes y nos quitamos la suciedad de la cara a escupitajos.

—¿Qué quieren de Rocce? —Nos saludó una voz bastante fría.

Nos estremecimos y miramos a nuestro alrededor. El sol, ya muy bajo, atravesó por última vez la montaña de nubes y nos deslumbró. Y entonces los vimos: estaban directamente sobre nosotros, en la terraza del castillo. Rocce y su padre, que lo rodeaba con el brazo.

—Ejem, queremos... —balbuceó Fabi—. Sí, queremos... Bueno, antes que nada no queremos molestar. —Intentó dibujar su irresistible sonrisa, pero fracasó completamente.

—Bien —aprobó Giacomo Ribaldo—. ¿Y qué más quieren? —Nos miraba amenazadoramente, con los ojos entrecerrados.

—Queremos que deje jugar a Rocce en nuestro equipo —se apresuró a decir Marlon.

Los ojos de la estrella brasileña aún se estrecharon más. Por lo que me apresuré a añadir:

—Y queremos que sea nuestro amigo. —Miré a Rocce—. ¿Tú también quieres?

Pero Rocce apartó la mirada.

—¿Tú también quieres? —repitió Giacomo Ribaldo—. Mírame.

Rocce miró a su padre a los ojos. Dudó, lo vi claramente, pero para nuestra sorpresa, negó con la cabeza.

—Bien —dijo Giacomo Ribaldo y se volvió hacia nosotros—. Ya lo han visto.

Asentimos en silencio, pero no nos movimos.

—¿Y qué hay del futbol? —pregunté en voz baja.

El delantero brasileño se rio.

—Por supuesto que Rocce jugará futbol. Pero en el Bayern de Múnich, como yo. Algún día será alguien.

—Pero nosotros también vamos a ser profesionales —se atrevió a decir León.

Giacomo Ribaldo lo miró y se rio aún más fuerte.

—Entonces, todo está claro. Jueguen como profesionales si es que realmente tienen madera.

León lo miró a los ojos.

—¿Es una grosería?

Nos estremecimos. Hasta Rocce aguantó la respiración al oír el tono de León. Giacomo Ribaldo también pareció impresionado. Al menos le desapareció la sonrisa de la cara.

—No, no lo es —dijo fríamente—. Pero si realmente quieres ser profesional no pierdas el tiempo con ese equipo.

Dejó de mirar a León, pasó por alto a Raban y me miró a mí. Tengo que reconocer que volvió a faltarme el aire, de lo nervioso que estaba. Pero León es diferente, ya se los dije. Él responde si lo provocan.

—No lo hago —contraatacó. Y sus ojos estaban más entrecerrados que los de Ribaldo—. No pierdo el tiempo con mi equipo porque es el mejor equipo del mundo.

Por un momento, Giacomo Ribaldo se quedó parado. León miró a Rocce.

—¿Tú también lo oíste? —preguntó retador y orgulloso.

Rocce le aguantó la mirada. Casi me pareció que asentía. Entonces se metió su papá.

—Tonterías —dijo con frialdad—. Ustedes no son ningún equipo. Son unos niños que le dan a la pelota, eso es todo. Y lo único que hacen es soñar con lo que todos los niños sueñan: con ser como yo.

Un rayo pasó sobre nuestras cabezas e, inmediatamente, un trueno ensordecedor.

Después, el silencio. Nos quedamos paralizados, como si una bruja malvada nos hubiera convertido en piedras. El único capaz de moverse fue Marlon. Movió lentamente la cabeza de un lado a otro.

—No, yo no sueño con eso —dijo en voz baja pero con decisión y mirando a Rocce a la cara—. Ninguno de nosotros sueña con eso.

Rocce sostuvo la mirada de Marlon. Entonces se quitó el brazo de su padre y entró corriendo a la casa. Su padre lo miró extrañado.

—Sí, es cierto: ninguno de nosotros sueña con ser como usted —confirmó Fabi. De nuevo rayos y truenos cayeron sobre nosotros.

Giacomo Ribaldo nos miró una vez más. Fue una mirada aniquiladora, despreciativa y humillante, que ninguno de nosotros pudo aguantar. Por eso nos fuimos rápido. Volvimos a salir a la calle y corrimos y corrimos hasta llegar a nuestro campo de futbol. Allí teníamos la esperanza de sacudirnos aquella mirada. Pero fue una esperanza que no se cumplió. En el campo nos esperaba Willi.

CARA O CRUZ

Willi estaba cerrando la tienda y metiendo su puesto de periódicos en el interior.

—¿Y bien? ¿Qué les dijo? —preguntó tan frío como si preguntara si llovía.

Pero la pregunta no le era tan indiferente, porque cuando volvió a salir, nos miró como si lo supiera todo. No, mucho peor, la mirada de Willi era como la de Ribaldo: despiadada y humillante.

Ahí estábamos nosotros, jadeantes, furiosos, con las primeras gotas de lluvia fría sobre la cara. Y de repente lo comprendimos: Giacomo Ribaldo tenía toda la razón. No éramos un equipo de futbol y ninguno de nosotros tenía madera de profesional. Nuestros sueños estallaron como burbujas de jabón bajo la lluvia cada vez más intensa. Y les aseguro que cuando uno se queda sin sueños, no es nada, se derrumba y no sabe cómo seguir adelante.

—¿Y? ¿Qué van a hacer ahora?

Lo miramos desconcertados, ansiosos y enojados. ¿Por qué nos preguntaba eso? Para eso estaba él, nuestro entrenador. Era él quien tenía que decirnos lo que debíamos hacer. Pero Willi pasó al lado de nosotros sin decir nada y entró a su tienda. Cerró con una madera el mostrador y echó llave. León apretó los puños lleno de ira.

—Bien, jugaremos contra el Bayern —gritó—. Le daremos una lección a ese Ribaldo y mandaremos al Bayern, con Rocce incluido, a la Luna de una patada.

Willi miró a León sorprendido.

—¿Estás hablando en serio?

—Claro —dijó León. Willi sólo asintió.

—Bravo, León, una idea realmente buena. —Pero después suspiró profundamente—. Lástima que el Bayern no aceptará ese desafío. Creo que se reirán en su cara. Sí, eso es lo que harán, a no ser que... —Pensó algo, pero lo descartó con un movimiento negativo de la cabeza—. No, no creo que funcione. Se acabó. Váyanse a su casa.

Willi se subió a su motocicleta abollada y arrancó.

—Ah, sí, casi se me olvidaba. A partir de hoy tienen prohibido venir aquí. No quiero volver a verlos. ¿Está claro?

Nos miró de arriba abajo una vez más.

—Y si no saben qué quiero decir, miren: Las Fieras están acabadas.

Arrancó y se fue.

Nos quedamos bajo la lluvia sin entender nada. Nos fuimos sentando uno por uno en el pasto sin decir una palabra. «Vamos a agarrar una pulmonía», pensé. Pero nos daba igual. Pensé en Joschka y en el presentimiento que tuve cuando lo vi tendido en la hierba haciéndose el muerto. Oí la carcajada de Ribaldo y sus palabras: «Pero si realmente quieres ser profesional no pierdas el tiempo con ese equipo». Entonces oí a Willi: «No quiero volver a verlos», había dicho, y: «Las Fieras están acabadas».

Sí, y seguía viendo a Rocce negando con la cabeza cuando le pregunté si quería ser nuestro amigo. Yo no acababa de entender y los demás tampoco. Hasta León se mordía los labios del disgusto y no dejaba de secarse las gotas de lluvia de la cara como si fueran lágrimas. Las Fieras estaban acabadas. ¿Qué podíamos hacer para demostrar que no era cierto? No lo sabíamos. Por eso seguimos bajo la lluvia hasta que no pudimos aguantar más el frío y nos fuimos lentamente, pensativos y silenciosos, a nuestras casas.

DESHECHOS

Mi mamá casi se muere del susto cuando me vio en la cocina temblando y empapado. No dije nada. No podía decir nada. Simplemente esperaba el sermón que debía de estar a punto de decirme: «Por amor de Dios, Félix, ¿estás loco? ¿Te quieres morir? Creía que eras listo, pero es claro que me equivoqué. Desde ahora, prohibido entrenar. ¿Está claro? ¿Me entendiste?».

Sí, eso era lo que esperaba. Es más, lo deseaba. Tenía el cuerpo helado y la cabeza como envuelta en algodón. Me sentía en una pesadilla de la que no podía despertar y en estos casos un sermón era lo mejor. Un regaño me despertaría.

Pero mi mamá no me dijo nada. Se limitó a mirarme como si me hubieran arrancado la cabeza, descuartizado y clavado al menos siete flechas en la espalda. Me preparó un té y se portó como mi ángel de la guarda. Me cuidó como a un guerrero que hubiera ganado un torneo en el último segundo a pesar de estar gravemente herido. Pero yo ni estaba herido ni era un guerrero ni había participado en ningún torneo. Yo era un perdedor, un fracasado. Sin luchar ni resistirme había dejado que me vencieran y me quitaran todo lo que me importaba: a Willi, nuestro entrenador; a mis amigos, Las Fieras, y por supuesto, el futbol, que lo era todo y más para mí.

Por eso no podía sentirme agradecido por los cuidados de mi mamá ni siquiera un poco. Está bien, me protegía de una pulmonía o de un resfriado, pero yo no podía dejar de pensar que lo hacía por compasión. Dios mío, qué humillación. ¿Verdad que lo entienden?

En aquel momento tan importante de mi vida lo peor que podían hacerme era tenerme compasión. Lo que yo necesitaba era algo completamente distinto. Necesitaba a alguien que me diera una patada en el trasero, que me dijera que tenía que sacar la cabeza de la tierra, que me quitara el miedo y me devolviera el ánimo, que me dijera lo que debía hacer para recuperar mi orgullo y mis sueños. En aquel momento necesitaba un padre, pero el mío hacía tiempo que se había ido. Sólo tenía a mi madre, que se compadecía de mí. Maldición. Fue por eso que no le dirigí la palabra aquella noche, ni tampoco los días siguientes.

A las otras Fieras les iba igual. De un día para otro nuestro mundo había cambiado completamente, como si hubiera chocado con un meteorito. Hasta las estaciones habían cambiado, o al menos eso parecía. En vez de verano, era otoño. La lluvia caía sin parar desde nubes cargadas de agua que se pegaban a las copas de los árboles como azufre negro. Y esas nubes eran tan preocupantes y pesadas que clavábamos los ojos en la punta de nuestros pies y no mirábamos a nuestro alrededor.

En la escuela tampoco nos hablábamos. Sentado entre Fabi y León, yo guardaba silencio, y también estaban callados Juli y Raban detrás de nosotros. Estábamos tan silenciosos que hasta al maestro le pareció extraño. Rocce también nos miraba preocupado. Pero al maestro no le decíamos nada y de la existencia de Rocce ni siquiera nos dábamos cuenta, no nos interesaba ya. Cuando se acababan las clases nos íbamos a casa como niños buenos sin siquiera despedirnos. Nadie quería ver a nadie. Incluso León y Marlon no hablaban entre ellos, y lo mismo les pasaba a Juli y Joschka.

En el número 4 de Fasanengarten, al tercer día de silencio, Fabi estampó su juego de construcción contra la pared y ayudó a su madre a planchar. Sin decir alguna palabra, metió la ropa en un cesto y la guardó ordenadamente en los clósets. Nunca antes había hecho una cosa así y su madre se quedó fascinada. Miraba a su hijo tan asombrada que ni siquiera reaccionó cuando el vestido que tenía sobre el burro de planchar empezó a quemarse enfrente de su cara.

—Pero ¡mamá! —gritó Fabi mientras quitaba

la plancha del vestido y le echaba un vaso de agua sobre las llamas—. ¿Qué te pasa?

—No, ¿qué te pasa a ti? —replicó su madre con voz preocupada—. ¿Por qué no has ido a jugar futbol?

Fabi se balanceó inquieto e intentó esbozar su irresistible sonrisa, pero volvió a salirle mal y se fue corriendo a su cuarto.

—No podrías entenderlo —gritó furioso, y cerró la puerta de un golpe.

En la casa de enfrente, la madre de Juli y Joschka volvía de la oficina. Metió la llave en la cerradura sin fijarse en el agua que salía por debajo de la puerta. Pero cuando la abrió, después de vencer una extraña resistencia, se encontró con una auténtica inundación. En la cocina había unos quince centímetros de agua y chapoteando en medio estaba su hijo Juli con un desarmador en la mano.

—Hola, ¿ya llegaste? —preguntó sorprendido, pero sin el menor rastro de maldad—. ¿Sabes?, queríamos darte una sorpresa.

Su madre bajó la mirada hacia sus pies. El agua, que corría hacia afuera, le cubría hasta los tobillos. Entonces descubrió el origen de la marea. El agua venía del pasillo que llevaba al baño.

Fue hacia ahí y golpeó la puerta, pero estaba cerrada con seguro hasta que llegó Juli con la llave.

—Nos peleamos —explicó Juli con una sonrisa inocente.

—Por eso encerraste a tu hermano ahí dentro.

—Sí, cuando tuvo que ir al baño —asintió Juli—. Pero hicimos las paces. Joschka está limpiando el baño.

La madre de Juli abrió la puerta y se encontró con una gigantesca pared de espuma que llegaba hasta el techo.

—¡Joschka! —gritó mientras una segunda marea le empapaba las pantorrillas y se iba por el pasillo. Era tan fuerte que su mamá resbaló y se cayó de nalgas.

En aquel momento la pared de espuma se le vino encima y justo entonces vio a su hijo pequeño, de puntillas sobre el borde del escusado. Estaba limpiando con mucha concentración la ventana que estaba cerca del techo.

—Hola, mamá —la saludó—. Estamos limpiando. ¿Te gusta?

Estaba tan cubierto de espuma que parecía el mismísimo Yeti.

Pero su madre no estaba precisamente entusiasmada.

—¿Limpiando? —fue lo único que dijo. Intentó levantarse y volvió a aterrizar de nalgas—. ¿Qué limpiaron? —gimió. Juli se acercó preocupado.

—¿Qué te pasa? —dijo dulcemente con la intención de ayudarla a levantarse.

Pero ella lo rechazó con un empujón.

—¿Qué les pasa a ustedes? —les reclamó—. ¿Qué están haciendo aquí? ¡Vayan a jugar futbol!

Juli y Joschka se quedaron quietos.

—Vamos, vayan —repitió su madre. Pero Joschka y Juli dijeron que no con la cabeza.

—¿Qué? ¿Cómo?—tartamudeó Juli.

—Esto no funciona —murmuró Joschka. Juli bajó la cabeza contrariado.

—¿Sabes?, de verdad creí que nos castigarías al menos dos semanas sin salir de casa por esto.

Juli y Joschka miraron a su madre suplicantes.

—¿No podrías castigarnos al menos tres días? —rogó Juli descaradamente.

—Sí, tres días por favor, mamá —insistió Joschka—. No es mucho, ¿o sí?

En el número 58 de la calle Hubertus, León sacó voluntariamente a pasear a Sock para matar el tiempo. Después empezó a tocar la batería que tenía en el sótano con tanta furia que ni siquiera las paredes pudieron amortiguar el ruido, y no paró hasta que reventó todos los parches de la batería.

Su hermano Marlon, un año mayor, estaba en su cuarto con tapones en los oídos. Revisaba un montón de libros que había sacado de la biblioteca: *¿Qué puedo ser?*, *50 maneras de conseguir el éxito*, *Las 100 mejores profesiones de nuestro tiempo*. Así o parecidos eran los títulos de los libros. Marlon los hojeaba sin ganas, buscando un nuevo objetivo en su vida. Su sueño de ser futbolista profesional se había esfumado definitivamente y tenía que encontrar otro. Pero ¿cómo podía la profesión de director de agente de bolsa o de productor *online*-tv-internet sustituir la sensación que tenía Marlon cuando se llevaba la pelota después de un cuerpo a cuerpo, daba un pase de ensueño o metía uno de sus geniales goles con el empeine? Por eso, al llegar la noche, Marlon se quitó los tapones de los oídos, tomó su saxofón y se fue al bosque. Y allí, bajo un gigantesco sauce llorón, sopló un blues estremecedor.

A veces, algunas notas de su blues llegaban al campo de futbol, donde Willi se balanceaba en su mecedora, protegido por un paraguas que había atado al respaldo. Desde que les prohibió entrenar estaba solo y sin hacer nada. Ni siquiera tenía que abrir la tienda porque ya no tenía clientes. Pero por melancólicas y desesperadas que fueran las melodías de Marlon, Willi permaneció firme y no se dejó ablandar. ¿Qué esperaba? ¿Qué se proponía? ¿Qué era lo que Las Fieras debíamos hacer? No lo sabíamos.

En el número 1 del pasaje Alten hacía tres días que Maxi jugaba con su hermana pequeña a «la feliz familia barbie». Hizo una lista de los balones que formaban su valiosa colección y la envió por fax a una revista de compraventa para que publicaran un anuncio diciendo que los vendía. ¿Para qué los quería? Sólo le traían recuerdos dolorosos.

Pero lo peor le tocó a Raban, Raban el Héroe, que durante unas pocas semanas había sido realmente nuestro héroe. Agarró el teléfono para llamar a las hijas de las amigas de su madre y pedirles, arrepentido, que fueran a visitarlo. En diez minutos, aquellos tres monstruos armados de lacitos y holanes estaban delante de la puerta. A Raban le daba igual. Ya estaba en el sillón de la entrada, dispuesto a ser el conejillo de indias de sus maquillajes y modeladores de pelo en miniatura.

Eso fue al tercer día de la lluvia eterna, al tercer día de nuestra visita al número 13 de La Puerta del Cielo, al tercer día de la burla aniquiladora de Giacomo Ribaldo, del «no» de Rocce a nuestra amistad y de la negativa de Willi a entrenarnos. Aquel día hubo algo que quedó definitivamente claro: Las Fieras estaban acabadas.

Lo que dije antes de que era como el principio del fin nos había sobrepasado, saboteado y deshecho. Nos habíamos engañado durante demasiado tiempo. Habíamos pasado demasiado tiempo tumbados al sol, dedicados solamente a soñar. Pero los sueños no se convierten en realidad así como así, se los aseguro. Hay que estar dispuestos a luchar por ellos. Pero en aquel momento, luchar nos asustaba demasiado. Claro que queríamos jugar futbol y ser profesionales de la primera división, pero nos daba miedo que Ribaldo tuviera razón.

O mucho peor: sabíamos desde hacía tiempo que Giacomo Ribaldo tenía toda la razón. ¿Para qué negarlo? No éramos nada, no éramos más que unos cuantos niñitos tontos que le daban a la pelota. No éramos lo bastante buenos y nunca llegaríamos a ser alguien en el futbol. Se cierra el caso de una vez por todas.

EL DUELO DE LOS PISTOLEROS POR LA MANZANA EN DULCE

Al cuarto día volví a mi casa desde la escuela sin abrir la boca. Pasé con grandes pasos enfrente de mi mamá, tiré la mochila en un rincón, me senté en la mesa, igual que los tres días anteriores, y me puse a mirar por la ventana. Me daba igual que mi mamá estuviera sirviendo mi platillo favorito: una montaña de buñuelos. Cuando me dijo: «Buen provecho», puse los ojos en blanco y aparté el plato como si se hubiera convertido en algo asqueroso.

—¿Qué te pasa, Félix? —me preguntó mi mamá, preocupada—. ¿No me vas a decir nada?

Suspiré y puse los ojos en blanco nuevamente. Me desesperaba empezar con el mismo rollo. No era más que mi mamá, ¿cuándo iba a entenderlo? Al que yo necesitaba era a mi papá, pero él no estaba ni daba señales de vida desde el día que se enteró que mi mamá quería a otro hombre.

—Félix, estoy hablando contigo. —Mi madre me recordó que seguía ahí.

—Pero yo no —le dije—. ¿Me entiendes? Ahora, por favor, deja de darme lata con tu misericordia.

Me sequé una lágrima furiosamente de la cara y me puse a mirar otra vez por la ventana.

—Humm, muy bien, ya entendí. Nada de compasión. —Asintió mi madre poniéndose a comer tranquilamente los buñuelos—. Tampoco te preguntaré de que te hayas quedado sin amigos ni de que no vuelvas a tocar una pelota de futbol en la vida. ¿Lo entiendo bien?

—Perfectamente —ladré—. No me digas nada.

Estaba completamente molesto, pero mi madre me aguantó la mirada. Me miró de arriba abajo y vio que tenía lágrimas en los ojos. Pero eso no la conmovió, siguió despiadada y fría. Sus ojos se hicieron pequeños. De repente puso las manos encima de la mesa y respiró hondo.

—Vaya, vaya —dijo con una voz grave, como de pistolero a punto de desenfundar su Colt—. ¿Quieres ofenderme?

Su mano agarró con fuerza la cuchara.

—Pues entonces deberías ir mejor armado, ¿me escuchaste? —siguió con voz ronca—, porque de donde vengo una cosa como esa no se queda así. Ahí no se ofende sin repercusión a los tipos malos.

La vi como si se hubiera vuelto completamente loca.

—Por favor, mamá, déjame en paz —le pedí incómodo. Pero ella no me hizo caso. Ya no era mi madre sino un pistolero, un pistolero despiadado.

—«Por favor, mamá, déjame en paz» —me imitó burlonamente el pistolero con una voz llena de maldad y áspera, como de lija—. ¿Qué es eso? ¿Eres una gallina?

Me estremecí. Había metido el dedo en la herida y los ojos se me llenaron inmediatamente de lágrimas.

—Ya basta —le pedí.

—Lo siento, niñito, ya es demasiado tarde —dijo—. Aquí nadie se raja.

—No me estoy rajando —protesté.

—Vaya, vaya, no me digas —se burló—. Estás temblando de miedo.

—Ya está bien —le ordené—. Ya, porque...

—Cállate —me interrumpió—. Estoy viéndolo. Y también veo la autocompasión. ¡Qué asco!

—¡Ya! —chillé—. Déjame.

Me quedé viendo al pistolero y por un momento pensé que había logrado que se callara ese imbécil.

—Maldición —susurró él a falta de una expresión mejor. Después hizo como si escupiera y en ese gesto expresó todo el desprecio del mundo—. ¡Bah!, eres un chillón.

Me quedé como una piedra. No tiene gracia oír a tu mamá decirte algo así, aunque haya dejado de ser tu madre para convertirse en un pistolero.

—No, no lo soy —dije en voz baja.

—Pues entonces eres un marica —replicó.

—No, no lo soy —dije un poco más fuerte.

—Demuéstramelo. Desenfunda o púdrete.

Se hizo el silencio. Los ojos del pistolero se me clavaban en el pecho como tenazas. Casi no podía moverme. Pero me defendí. Me sequé las lágrimas de la cara, respiré hondo, puse la mano derecha sobre la mesa y agarré la cuchara.

—Tú lo quisiste —dije con voz ronca y áspera, y el pistolero asintió. Entonces desenfundó y, veloz como el rayo, hundió su cuchara directamente en el plato repleto de manzana hervida con azúcar y canela. Pero no fue lo bastante rápido. Mi cuchara ya estaba ahí. Volví a sacarla, completamente llena y me la metí en la boca. ¡Estaba deliciosa!

El pistolero se quedó parado.

—Vaya, vaya, no está mal —murmuró, y esta vez estaba impresionado de verdad—. Pero ¿sabes, muchacho?, con los buñuelos sabe aún mejor. ¡Ahora! ¡Tómalos!

El pistolero tomó uno de los buñuelos y me lo lanzó como un platillo volador. Lo agarré en pleno vuelo y lo mordí.

—Bien. —Sonreí pícaramente con la boca llena. El pistolero me devolvió la sonrisa.

—Pues entonces hártate, ¿me escuchas? Y después te diré algo de hombre a hombre.

Me tragué lo que tenía en la boca y dije:

—Está bien, acepto.

El pistolero sonrió y esa sonrisa lo convirtió de nuevo en mi mamá. Devoré siete buñuelos con crema de chocolate y después siete más con azúcar y canela. Pero estos siete desaparecieron en mi boca. Estaba atento de lo que decía mi madre, porque lo que me contó era la historia más interesante del mundo: la historia de la rebelión de Las Fieras contra el Bayern.

Me costó esperarla, pero en cuanto terminó, di un salto, corrí al teléfono y llamé a Las Fieras, uno por uno.

—Nos vemos en Camelot. Sí, rápido —fue todo lo que dije—. Mi mamá tiene un plan.

LA REUNIÓN EN CAMELOT

—¿Qué clase de plan? —preguntó León despectivamente—. Tu mamá no sabe nada de futbol.

—Claro que sí —repliqué—. La hubieras visto de pistolero.

—¿Cómo? —soltó León. En seguida me di cuenta de mi error. Mis amigos no entenderían lo del pistolero. Sólo podía entenderlo quien lo hubiera vivido. Pensarían que estaba completamente loco.

Estábamos en Camelot, o sea, en la casa de tres pisos que Juli había construido en un árbol de su jardín. En los últimos meses se había convertido en nuestro punto de reunión. Era donde nos juntábamos cuando nos parecía que un problema no tenía solución y la verdad es que siempre habíamos acabado por encontrar como salir del problema. Pero esta vez parecía imposible.

Las Fieras sólo estaban acabados por una sencilla razón que mi madre me acababa de aclarar: porque nos habíamos rendido. Los demás, en vez de reconocerlo, me miraron como si estuviera totalmente loco. ¿Qué podía hacer? Estaba en una esquina de donde nos reuníamos, mirando a mis amigos.

Nervioso, León se puso a pasear de arriba abajo.

—¿Escucharon? La mamá de Félix es un pistolero —exclamó antes de pegar un puñetazo a la pared, con tanta fuerza que le salió sangre de los nudillos—. ¡Maldición! No lo puedo creer. ¿Venimos aquí sólo por eso?

Los demás nos quedamos callados.

Fabi movía los pies nerviosamente y Marlon tamborileaba sobre la mesa. Juli abrazaba sus rodillas como si se estuviera congelando y Joschka se comía las uñas hasta llegar al dedo. Maxi se mordía los labios, Jojo se pellizcaba el brazo cada vez con más fuerza, Markus jugaba con una pelota de golf y Raban se enroscaba con su dedo un mechón de cabello.

«Rayos, qué infelices se ven», pensé. Pero habían venido todos y, a pesar de la tristeza, noté lo desesperados que estaban. Por eso tenía que intentarlo. Aunque se rieran de mí, aunque el plan fuera de mi mamá y jamás entendieran lo del pistolero.

Respiré hondo y me aclaré la garganta.

—Ejem, bueno, en realidad es muy simple: juguemos contra el Bayern.

Me detuve un momento para ver su reacción. Mis amigos pusieron los ojos en blanco y León dijo lo que todos pensaban.

—Félix, ¿eso es todo? —Se burló—. Ese plan ya lo conocemos.

—Sí, es verdad. —Lo apoyó Fabi—. Y es un plan imposible. Los del Bayern se reirán en nuestra cara. ¿Y sabes por qué? ¡Ja! Pues te lo voy a decir: para ellos somos como hormigas diminutas trepando el Everest. Ni siquiera nos ven. ¡Para ellos ni siquiera existimos!

—Pues eso es lo que tenemos que cambiar —contraataqué.

—Ah, ¿y cómo vamos a hacerlo, si puede saberse?

—Los ojos de Fabi echaban rayos—. ¿Quieres que nos peguemos una trompa y finjamos que somos elefantes?

—Así es, Fabi. No estás tan equivocado.

—Lo dije como un halago pero mis palabras les parecieron un insulto.

—No me digas. —Se enojó Fabi—. Pues dilo ya.

—Justamente. —León se puso de su lado—. Yo también quiero saber.

—Bien —dije aceptando el reto—. Mi primera propuesta es que dejemos de lloriquear y de quejarnos ahora mismo.

Por un momento se hizo el silencio, un silencio lleno de odio. León y Fabi apretaron los puños y estaba seguro de que con la más mínima cosa que dijera se irían sobre de mí.

—Repite eso —mascullό León.

Sacudí la cabeza.

—Hablo por mí —expliqué—. Yo era el que estaba peor. Primero tenía miedo de que Jojo y Markus me hicieran salir del equipo. Después fue de Rocce. Y hasta ayer mismo del Bayern, que me tenía fastidiado. Tenía miedo de ser muy malo y por eso esperaba que no jugáramos más. Y, maldita sea, eso es lo que conseguimos.

Hice una pausa y los miré a todos. El odio se había esfumado. Hasta León y Fabi tenían la cabeza agachada.

—Sí, me siento igual que ustedes —continué—, totalmente al límite. Punto final. Pero no quiero ni puedo permitirlo, escúchenme bien, y por eso estamos aquí.

Los demás me miraron impacientes, pero no comprendía por qué sus ojos seguían apagados y de verdad me enojé.

—¿Qué les pasa? Son mis amigos. Y Las Fieras es el mejor equipo del mundo. Claro que sí. Aunque Ribaldo se haya reído de nosotros; somos buenos y se lo vamos a demostrar.

—Sí, se lo demostraremos —gritaron León y Fabi. Y los demás estuvieron de acuerdo.

Tomé aire. Por fin habían despertado. Por fin lo habían entendido. Pero aún no había acabado.

—¡Alto!, un momento. Aún queda algo: la cosa no es tan sencilla.

Esperé a que el entusiasmo de mis amigos se esfumara y continué:

—El Bayern es el mejor equipo del mundo. En él juegan los mejores niños del país y supongo que no creen que nos tomen en serio. Fabi tiene razón. Para el Bayern somos parecidos una hormiga, o una pulga. Por eso necesitamos una trompa. Ejem, quiero decir un plan.

—Vamos, Félix —chillaron León y Fabi—. Ahí ya habíamos llegado. Dilo de una vez.

—Pero el plan es de mi madre —les advertí.

—Sí, pero es un pistolero —recordó Joschka a todos, y el brillo de sus ojos contagió a los demás.

Sonreí orgulloso. Entonces me dejé ir. Les conté todo lo que mi madre me había dicho: tendríamos que ser como el Bayern, un equipo completo. Para eso necesitaríamos un nombre, formar un club deportivo y escribir un reglamento. Cada jugador debería tener un contrato y, por supuesto, necesitaríamos una camiseta y un escudo. Pero tendríamos que encontrar a alguien que las pagara, un patrocinador, o un *sponsor,* como se les llama.

Sí, y entonces dejaríamos de ser el montón de niños que sólo le da a la pelota y del que se rio Ribaldo y con el que Rocce no quería jugar. Entonces seríamos un equipo que hasta los del Bayern tomarían en serio.

—¿Qué? —concluí—. ¿Creen que lo conseguiremos?

—Claro —respondió León.

—Sí, pero ¿dónde entrenamos? —observó Marlon—. Félix se olvidó de Willi.

—No, no lo olvidé —contesté—. Creo que esto es justamente lo que Willi quería de nosotros. Desenterramos el cuchillo de guerra y vamos de nuevo a la caza del búfalo.

En la cara de Marlon apareció una sonrisa y León silbó de alegría.

—Sí, eso es lo que estamos haciendo —dijo.

Me alargó la mano para chocarlas.

—Todo saldrá bien. —Sonrió.

—No. Todo debe salir bien. —Sonreí maliciosamente y choqué las manos con él—. Mientras seas una Fiera.

Los demás siguieron nuestro ejemplo y ese día, sin saberlo, inventamos el saludo con el que Las Fieras nos identificaríamos para siempre.

NUNCA TE RINDAS

En los días que siguieron tuvimos muchas cosas que hacer. Lo primero que decidiríamos sería nuestro nombre. Parecía lo más fácil de todo. Que nos llamaríamos Las Fieras estaba claro como el agua. Pero así no se llama ningún equipo de futbol del mundo. Todos llevan unas siglas adelante o atrás del nombre: FC de Futbol Club, CD de Club Deportivo o SR de Sociedad Recreativa. Pero todas sonaban horribles al lado de Las Fieras. Se nos atascaban en las orejas y Sock aullaba al oírlas. Finalmente, alguien saltó con MR, o sea, Marca Registrada. Pero así se llamaría un club de minigolf o de boliche como mucho. Maldición. ¿Qué podíamos hacer? Sin siglas no íbamos a ningún parte. Entonces Marlon dijo de repente:

—CF.

—¿Club de Futbol? —preguntó León boquiabierto.

—No, CF. —Sonrió Marlon.

—Sí, eso ya lo entendí —dijo León—. Pero ¿no significan Club de Futbol?

—No, está muy claro. —Sonrió Marlon irónicamente. Le encantaba hacer enojar a su hermano, sobre todo cuando se empeñaba en no entender algo—. Significan simple y llanamente «Conquistan el Futbol».

León silbó muy fuerte.

—Las Fieras conquistan el futbol. Suena bien. —En seguida frunció el ceño—. Pero ¿no suena un poco exagerado o incluso engreído? —preguntó.

—Pues sí —aceptó Marlon—, pero sólo cuando sabes qué significa, y ni tú lo adivinaste.

Sonrió a León descaradamente. Éste iba a decir algo, pero Marlon se le adelantó.

—Las siglas son nuestro secreto. Un secreto que servirá para darnos ánimos. ¿Ahora lo entiendes?

—Presumido. —León se resistió, pero después sonrió y todos aceptamos la propuesta.

Entonces Marlon desapareció en la planta más alta de la casa del árbol, la torre de Camelot, con un bloc de dibujo y varios colores de madera para diseñar la camiseta, el escudo del club y los contratos de los jugadores. Se encerró arriba y no supimos nada de él durante dos días. Se hubiera muerto de hambre de tanto trabajar si la madre de Juli no le hubiera llevado algo de comer de vez en cuando.

Jojo, Markus, Fabi, Maxi, Joschka, Juli y Raban, que eran los encargados de encontrar un patrocinador, se dividieron en dos grupos. Recorrieron todas las casas de rodantes y las tiendas de deportes. Iban orgullosos y decididos y con la cabeza bien alta, sin dudar de su éxito. De lo único que discutían era de cuántos patrocinadores conseguiríamos o de si también llevaríamos publicidad en la ropa interior.

León y yo nos quedamos solos en la casa del árbol para redactar el reglamento del club. Estuvimos rompiéndonos la cabeza durante dos días, pero al final nos quedaron muy bien.

Al cabo de tres días volvimos a reunirnos. Cerramos las puertas y las ventanas de Camelot y encendimos velas. Entonces apareció Marlon, se puso en el centro y nos enseñó lo que había diseñado. Sólo nos enseñó un dibujo pero era fantástico, se los aseguro. Las camisetas eran del único color posible: negras como la noche, y sobre el pecho, resaltando como un escudo, tenían una fiera, tan simple y sin adornos como nosotros mismos. Las calcetas eran naranja chillón. Estábamos felices, y más aún después de ver los contratos de los jugadores. Parecían mapas del tesoro, misteriosos y solemnes.

Por supuesto, los firmamos con nuestra sangre. Eso era lo que necesitábamos, aunque

doliera y punzara un poco. Después, León y yo leímos en voz alta el reglamento del club.

La primera regla era simplemente: «Sé una Fiera».

La segunda regla era nuestro saludo: «Todo saldrá bien, mientras seas una Fiera».

La tercera regla era: «Nunca te rindas».

La cuarta: «Uno para todos y todos para uno».

Y la quinta y última era la más estricta: «Quien abandone a Las Fieras será un traidor».

Cuando acabamos se hizo un silencio sepulcral. Aquello sonaba realmente serio, pero nos convertía en un grupo en el que todos éramos igual de importantes. Todos podíamos confiar completamente en todos y ¿hay algo más importante para un equipo? Con aquellas camisetas, los contratos y nuestro reglamento éramos incluso más que un equipo de futbol: éramos una verdadera banda, como Los Tres Mosqueteros o Robin Hood y sus amigos. Sólo una cosa nos diferenciaba de ellos: no luchábamos con espadas y arcos y flechas. No, luchábamos en el campo de juego y con una pelota.

Nos levantamos lentamente. Seguíamos sin decir nada y en medio de tanto silencio garabateamos uno tras otro nuestra firma en el contrato. Luego nos abrazamos formando un círculo y juramos que todo lo que habíamos decidido aquel día sería para siempre. Lo juramos con un escalofriante: «RRRAAAA». Sólo faltaba ocuparnos de un pequeño detalle: escoger al patrocinador que nos pagaría las camisetas. Miramos impacientes a los siete que se habían encargado de ese tema, pero se quedaron callados.

No había patrocinador, balbucearon mientras rascaban avergonzados el suelo con los pies. Lo intentaron todo. Estuvieron en todas las concesionarias de coches y en todas las tiendas de deportes, claro. Después, incluso habían ido a gasolineras y tiendas de juguetes. Pero en todas partes se habían reído de ellos. En algunas ocasiones amablemente, otras de manera muy grosera. El peor había sido un tendero repugnante y gordo con una voz salida directamente de una caldera de alquitrán. Les había sonreído burlón y les preguntó si ellos lo patrocinarían a él cuando se presentara a Miss Universo. Cómo cree, había contestado con ironía

Fabi en seguida, nunca haría una cosa así. Pero si alguna vez el tendero se ofrecía de barril de chapopote para asfaltar las calles, Fabi invertiría en él sin dudarlo. Al oír esto, todos habían agachado la cabeza. Una cosa así no se le dice a nadie sin esperar consecuencias. Pero el tendero sólo había lanzado una risotada con voz ronca, tan ronca que creyeron que se asfixiaba. Por desgracia había sobrevivido e inmediatamente había contestado de muy mal humor:

—Bien. Eso no estuvo nada mal. Mucho mejor de lo que juegan futbol, seguro.

León, Marlon y yo no acabábamos de creerlo. Nos parecía imposible fracasar tan cerca de la meta. Entonces Raban se movió nerviosamente y pidió la palabra.

—Ejem, tal vez hay un patrocinador —balbuceó.

Inmediatamente nos tuvo a todos pendientes de sus palabras.

—Mi tío es carnicero —siguió—. Y estaría feliz de apoyarnos. Si lucimos el logotipo de su tienda en el pecho, nos dará una salchicha a cada uno cuando juguemos un partido.

Raban nos enseñó orgulloso el logotipo de la tienda de su tío: una salchicha con dos piernas y una cara de cerdo sonriendo.

—¿Estás hablando en serio? —le dijo León. Pero Raban no perdió el optimismo.

—Podríamos vender las salchichas —concluyó muy en serio.

—Sí, claro que podríamos. —León no salía de su asombro—. ¿Y cómo nos llamaríamos? —preguntó—. ¿Las salchichas feroces?

Raban comprendió lo que León quería decir. Vio nuestras caras y, sin más que decir, bajó la cabeza.

—Pues tendremos que renunciar a las camisetas.

Sonaba horrible, pero tenía razón. El plan de mi madre había fracasado. Sin camisetas no seríamos un equipo completo.

—No, eso no vale —protestó Fabi—. Va en contra del tercer punto de nuestro reglamento: «Nunca te rindas». Acabamos de jurarlo.

También él tenía razón. Ya se los dije antes: Fabi está en todo. Siempre tiene una solución debajo de la manga. Para él, la palabra «obstáculo» no existe. Y desde luego esta vez también tenía un plan.

—Tengo un amigo —dijo— con el que ya traté un par de veces. Mañana le haremos una visita. Llevaremos nuestras alcancías y nos conviene ponernos gel en el cabello. También necesitaremos lentes de sol. No entendíamos nada, pero era Fabi quien lo decía y confiábamos completamente en él.

UNA OFERTA QUE NO SE PUEDE RECHAZAR

Al día siguiente, acompañamos a Fabi al salir de la escuela. Todos llevábamos gel en el cabello, unos lentes de sol negros como el azabache muy bonitos y, bajo el brazo, la alcancía, el bote, la almohada, el peluche o donde fuera que cada uno guardara el dinero. Pero no supimos lo que se proponía Fabi hasta que llegamos al banco donde trabajaba el padre de Maxi, una oficina con el mismo aspecto refinado que la casa de Maxi en Alten Allee.

Maxi ni siquiera alcanzó a llegar a la puerta. Se dio la vuelta inmediatamente y se fue por donde habíamos venido. No quería tener problemas en el banco donde trabajaba su padre. Y, para ser sincero, los demás tampoco queríamos.

En lo único que pensábamos era en el hacha del verdugo y en la cadena perpetua que dan por romper ventanas en el banco. Habríamos preferido seguir a Maxi, pero era absurdo. La huida era imposible y Maxi tampoco llegó demasiado lejos.

—Detente, Maxi, no des un paso más —ordenó Fabi en un tono que obligó a Maxi a quedarse parado en la banqueta y darse la vuelta—. Todos juramos que cumpliríamos el reglamento, así que tenemos que acatar las reglas tres, cuatro y cinco. ¿Lo olvidaste?

Maxi negó con la cabeza. Tenía cara de estar realmente desesperado. Pero no podía hacer otra cosa.

Se dio la vuelta y siguió su camino. Pasaron unos instantes infinitos hasta que Fabi dijo tranquilo y en voz alta:

—Maxi, tercera regla: nunca te rindas. Cuarta regla: uno para todos y todos para uno. Y quinta regla: quien abandona a Las Fieras es un traidor.

Maxi aún dio dos pasos más, pero se detuvo. Volteó y regresó con los hombros hacia abajo. Fabi afirmó y sonrió. Cuando tuvo a Maxi frente a él lo rodeó con el brazo.

—Vamos, Maxi, ya verás como no es tan grave. Te lo prometo, no vamos a robar el banco. —Sonrió seguro de sí mismo—. Sólo vamos a hacerle a tu papá una oferta que no podrá rechazar.

Nos miró a todos.

—Eso. Y ustedes hagan lo que hacen siempre cuando están llenos de miedo como yo. Pongan cara de enojo y lo demás déjenmelo a mí. Yo sé lo que hago. Mi papá me contó que así fue como el grupo de rock más famoso del mundo, los Rolling Stones, consiguieron el mejor contrato discográfico de la historia.

Seguíamos sin entender ni una palabra, pero eso también formaba parte del plan de Fabi. Hoy ya sé por qué hacía esas cosas pero en ese momento no estaba tan seguro, sobre todo cuando Fabi, en cuanto abrió la puerta, se puso a silbar otra vez esa canción que siempre silba su padre cuando tiene miedo: *Knock, knock, knocking on Heaven's Door.*

Pero no teníamos alternativa... necesitábamos las camisetas.

Los empleados del banco nos miraron como si nos faltara un tornillo. Y la verdad es que al mirar de reojo a Raban, con el gel en el cabello, los lentes de sol y la almohada de color rojo que le servía de alcancía bajo el brazo, comprendí su reacción. Seguro que nunca habían visto nada parecido. Se hizo el silencio de repente. Lo único que se escuchaba era el silbido de Fabi. Éste paseó la mirada por los empleados, frunció el ceño, se rascó detrás de la oreja y al final fue dejando de silbar lentamente, como el mar que moja la arena.

Tanto silencio daba miedo, pero las situaciones difíciles hacían que Fabi pensara mejor y consiguió marcar su irresistible sonrisa.

—Buenas tardes, señores —dijo educadamente—. No van a creerlo, pero deseamos hablar con el director.

Uno de los empleados casi se ahoga por la sorpresa. Carraspeó, tosió y al final logró responder:

—Perdona, niño, pero es que, ¿sabes?, el director es un hombre muy ocupado.

—Sí, ya lo sabemos —contestó Fabi comprensivo—. En casa también está muy preocupado. Pero desgraciadamente tenemos una cita con él.

—No me digas. —Se burló el empleado ante sus compañeros, haciendo bizcos y después puso los ojos en blanco—. Una cita con el señor director.

—Sí, exactamente —replicó Fabi sin dejarse intimidar—. Creo que poco a poco nos vamos entendiendo.

El empleado volvió a atragantarse, intentó tomar aire y ya iba a decir algo cuando Fabi se le adelantó.

—Si es tan amable de anunciarnos. —Sonrió maliciosamente—. Sólo dígale que llegaron Las Fieras CF.

El empleado se quedó completamente asombrado, pero la sonrisita de Fabi y su mirada resuelta no admitían negativas. El empleado obedeció y entró algo inseguro en el despacho del director (que era el papá de Maxi) y nos entró el miedo.

—Estás loco —le murmuré a Fabi—. ¿De qué cita hablas?

—Hablo de la cita que tenemos. —Sonrió Fabi burlón—. Llamé al papá de Maxi ayer y le expliqué que nuestra empresa quería instalarse en esta ciudad.

—¿Qué empresa? —pregunté.

—Las Fieras, obviamente —contestó Fabi—. Sólo que lo escondí un poco y dije Las Fieras CF. ¿Ahora lo entiendes?

—¿Y se lo creyó así de fácil?

—Sí. Claro, disimulé la voz más o menos así... —Fabi puso una voz muy grave—. Ya sabe usted, señor Maximilian, que hay muchos bancos en la zona, pero...

—¿Pero? —lo interrumpí impaciente.

—Canceló inmediatamente tres citas que ya tenía para poder hablar con nosotros. Te lo aseguro, se lo tragó todo. ¡Mira! —Sonrió.

El padre de Maxi salía a toda velocidad de su oficina mirando hacia dentro y echándole bronca a su empleado.

—Su actitud nos perjudica como entidad, señor Weber, métaselo en la cabeza. Por supuesto que hablaré con los señores de Las Fieras CF.

Pero un microsegundo después, al darse la vuelta hacia nosotros, se arrepintió del sermón y se quedó pasmado.

—¡Weber! —chilló—. ¿Qué significa esto?

Nosotros estábamos petrificados, sólo queríamos escondernos debajo del mármol del suelo. Joschka jalaba nervioso su animal de peluche y Raban chupaba la punta de la funda de su almohada-alcancía. Pero Fabi lo tenía todo planeado.

—Buenas tardes, señor Maximilian —dijo aún fingiendo la voz. Sonrió y habló normal—. Es muy amable de su parte que nos dedique usted su tiempo. —Vamos, chicos —dijo, y se metió en la oficina del director, que se había quedado totalmente sin habla. Lo seguimos con las rodillas temblorosas. El último que entró, dando un portazo, fue el padre de Maxi.

—¿Qué significa esto? —gritó—. ¿Quién creen que soy? ¿Qué creen que van a pensar ahora de mí mis empleados?

Nosotros temblábamos, pero Fabi mantuvo la sangre fría.

—Precisamente por eso estamos aquí. —Sonrió—. Pero primero tengo que explicarle algo. ¿Por qué no

se sienta, señor Maximilian? Sólo necesitamos diez minutos y le aseguro que nos pondremos de acuerdo.

El padre de Maxi intentó tomar aire. Yo estaba casi convencido de que se pondría a escupir fuego como un lanzallamas para destruirnos. Pero cuando ya agachábamos la cabeza, se sentó detrás de su mesa, hipnotizado por la irresistible sonrisa de Fabi.

—De acuerdo, diez minutos. Concedidos —dijo.

Fabi no perdió el tiempo. Le contó la historia de Rocce y Ribaldo y que Willi nos había mandado al diablo y que por eso teníamos que jugar un partido contra el Bayern. Le contó lo de nuestra asociación, los contratos, el reglamento y que necesitábamos camisetas porque, si no, el Bayern no nos tomaría en serio. Y que lo de las camisetas era un círculo vicioso: teníamos que encontrar un patrocinador para comprarlas, pero los patrocinadores exigían victorias y para ganar había que tener camisetas. Por eso estábamos allí.

Fabi hizo una pausa significativa. El padre de Maxi se acomodó detrás de la enorme mesa de su despacho. Por un momento pensamos que Fabi lo había impresionado, pero no era así. El padre de Maxi miró el reloj y dijo:

—Pasaron ocho minutos. Les quedan exactamente dos.

Fabi respiró hondo. Entonces dijo simplemente:

—Tiene usted razón. Vayamos al grano. Tengo tres ofertas de camisetas y la intermedia parece razonable: ochocientos euros. Cuatrocientos los ponemos nosotros. Vamos, muchachos, pongamos nuestros ahorros sobre la mesa. Lo que falta lo pone usted, ejem, quiero decir, su banco, hasta que se haya jugado el partido. Invitaremos a todos los patrocinadores que no confiaron en nosotros y puede estar seguro de que después de nuestra victoria estarán encantados de pagar nuestra deuda.

Fabi estaba seguro de haberse salido con la suya, pero el padre de Maxi miró la montaña de cerditos, alcancías, cajetillas de cigarrillos, peluches y almohadas que, siguiendo la sugerencia de Fabi, habíamos dejado sobre su mesa y preguntó fríamente:

—¿Y qué pasa si pierden?

—A eso se le llama arriesgarse. —Le sonrió Fabi—. Sin arriesgarse nadie hace negocios hoy en día.

El padre de Maxi le devolvió una sonrisa irónica.

—Aún tienen un minuto, pero de una vez les

digo que lo que están haciendo no es correr un riesgo, es ir en una misión suicida.

Fabi asintió, absorto en sus pensamientos.

—Ya lo entiendo —dijo—. De verdad lo entiendo. —Suspiró profundamente—. Pero aun así creo que tenemos que llegar a un acuerdo. ¿Sabe?, no queremos ser malas personas, pero no tenemos elección: necesitamos las camisetas. Por eso tengo que hacerle pensar en sus empleados. Seguro que ya están hablando mal de usted por el hecho de que llevemos tanto tiempo negociando. Y, ¿qué harán o dirán si se enteran de que su hijo rompió dos ventanas seguidas y usted no lo castigó ni un solo día porque su hija bailaba como loca haciendo de porrista? ¿De verdad cree usted que eso va a reforzar su autoridad como director de esta oficina del banco?

Ésa era la oferta de la que Fabi había hablado y que el padre de Maxi no podría rechazar. El señor Maximilian parecía incómodo en su sillón aparentando calma, pero por las gotas de sudor que tenía en el labio superior notamos que estaba nervioso.

—¿Eso harían? —preguntó mirándonos uno por uno—. ¿Eso harías tú? —preguntó a Maxi, su propio hijo.

Pero ni Maxi ni nosotros dijimos nada. Habíamos estado escuchando a Fabi y entendíamos el sentido de su plan. Con el gel en el pelo y los lentes de sol dábamos la impresión de ser totalmente despiadados.

Por eso el padre de Maxi aceptó nuestra oferta.

—De acuerdo. —Suspiró—. Ustedes ganan. Pero si pierden contra el Bayern y no encuentran patrocinadores les confiscaré las camisetas personalmente. ¿Está claro?

Asentimos y salimos corriendo del banco lo más rápido posible. Ya teníamos todo lo que necesitábamos para nuestro proyecto. Venceríamos al Bayern. Pero no, aún faltaba una cosa: nuestro entrenador. Sí, Willi. ¿Nos volvería a entrenar, tal como yo aseguré? ¿O seguiría sin creer en nosotros y volvería a rechazarnos?

En ese caso tampoco nos faltarían las camisetas, porque nunca más jugaríamos futbol. Quedaríamos libres de nuestro juramento y nos meteríamos a un cursillo para hacer adornos de Navidad. Sí, eso era lo que pasaría, y la idea nos daba miedo.

Ninguno de nosotros quería acabar así. Por eso nuestro corazón estaba como un conejo loco cuando, después de haber triunfado en el banco, fuimos directo al campo de futbol para hablar con Willi.

TODO EN UNA CARTA

—¿Y bien? ¿Contamos contigo? —preguntó León fríamente, como si no le importara.

Willi estaba tranquilamente sentado en la mecedora enfrente de su tienda. Revisaba atentamente todo lo que le habíamos llevado: el diseño de las camisetas, el reglamento y los contratos de los jugadores.

—Vamos, decídete, Willi. No podemos esperar eternamente —lo presionó León, y no daba la menor impresión de estar presumiendo. A Willi tampoco le pareció que presumiera. Nos miró y fue una suerte que lleváramos los lentes de sol porque, si no, nos hubiera visto en los ojos que estábamos rogándole. Pensativo, se echó la gorra de béisbol hacia atrás y se rascó la frente.

—Ejem, bueno, cambiaron bastante —murmuró. Volvió a repasar el reglamento y los contratos—. Y todo esto suena bastante serio, creo yo. Es algo así como apostar todo a una sola carta.

Se rascó de nuevo la frente.

—Si pierden contra el Bayern, estarán sin dinero durante dos años.

Nos observaba intentando asustarnos, pero nos ocultamos tras un silencio total y los lentes de sol.

—No sé —dijo Willi—, pero bueno, está bien. No sé por qué pero tengo la sensación de que los lentes de sol son como unas pinturas de guerra a lo moderno, ¿me equivoco?

No pudimos evitar sonreír. Ni siquiera León pudo contener una sonrisa de alivio. Pero Willi seguía muy serio.

—Lástima. —Suspiró—. Es una verdadera lástima que no pueda entrenarlos.

Nos desapareció la sonrisa, se nos aflojaron las rodillas otra vez y sin darnos cuenta nos echamos un poco hacia atrás. Pero Willi aún no había terminado.

—Bueno, tienen que entenderlo. Yo sólo veo contratos para los jugadores y ninguno para el entrenador. Entonces, ¿cómo podría trabajar? Ya se sabe que hoy en día ser entrenador es como sentarse sobre pólvora. O sea que, sin contrato, olvídense de mí.

Cielo santo, ¿eso era todo? Se me quitó un peso de encima. Marlon buscó como un loco en su mochila.

—No pasa nada, Willi —gritó con cara radiante—. Aquí está tu contrato de entrenador.

Se lo entregó a Willi, que lo desenrolló y lo leyó en voz alta y clara:

«Contrato para el mejor entrenador del mundo. El contenido es nuestro reglamento. Por eso no hay ningún motivo de expulsión. A no ser que alguien se convierta en un traidor o deje de ser como nosotros y se apunte voluntariamente en un club de manualidades para hacer adornos de Navidad».

Willi reflexionó y se rascó la frente otra vez.

—Uf, suena demasiado serio. No sé... —murmuró. Le devolvió el contrato a Marlon—. No sé dónde está mi navaja. Maldita sea, ¿dónde la tengo? —exclamó. La buscó en todos sus bolsillos y al final la encontró. La abrió, se hizo un corte en el pulgar y estampó el dedo en el contrato mientras decía nuestro juramento:

—Todo saldrá bien —pronunció solemnemente, y en la segunda parte todos lo coreamos—, mientras seas una Fiera.

Después escribimos una carta al Bayern. Queríamos jugar contra ellos al cabo de tres semanas, el domingo. Propusimos ese día porque hasta entonces no tendríamos las camisetas y tres semanas era tiempo suficiente para entrenar. Nos separamos con un espíritu de lucha y una seguridad en nosotros mismos a prueba de balas. Pero ninguno de nosotros sospechaba lo bueno que era el Bayern en realidad.

EL DESAFÍO

Al día siguiente nos llevamos la carta a la escuela. El que debía transmitir nuestro desafío al Bayern era Rocce, eso ni siquiera hubo que discutirlo: era una cuestión de honor y de orgullo. Así él y el creído de su padre serían los primeros en enterarse de que no nos habíamos rendido.

Quedamos en encontrarnos en la escalera del patio de la escuela.

—Todo saldrá bien —decían unos.

—Mientras seas una Fiera —contestábamos los otros.

Nos sentamos en los escalones. Sonó el primer timbre y todos los niños menos nosotros se fueron como un riachuelo hacia sus salones. El patio se convirtió en un lugar fantasma. El tiempo seguía patas arriba. A pesar de estar a mediados de junio era tan frío y gris como en pleno noviembre. Ráfagas de viento barrían el polvo de las esquinas y lo arrastraban como jirones de niebla sobre el suelo. Apenas se podía ver la entrada del patio. Por eso Rocce tampoco nos vio cuando por fin apareció. Llegó en el último momento, como todos los días, y nosotros sabíamos por qué: desde que habíamos ido a su casa nos evitaba y nosotros también a él. Seguro que no contaba con que lo estuviéramos esperando.

Lentamente, con la mirada clavada en los pies, llegó hasta donde estábamos. Por un momento pareció realmente desconcertado. Mientras se acercaba ya no era aquel niño radiante que habíamos conocido el primer día de clases después de las vacaciones de Semana Santa. Quizá era cosa del mal tiempo, pero su aspecto nos parecía triste, solitario e infeliz. Por un momento olvidé lo que nos había hecho y que era nuestro enemigo. Por un momento casi creí que nos echaba de menos. Sobre todo cuando nos vio: una sonrisa radiante como un rayo de sol le cruzó la cara. Pero entonces se dio cuenta de nuestras intenciones. La sonrisa se esfumó, y la soledad y la tristeza dejaron paso a un orgullo glacial. Sí, con toda seguridad Rocce no era menos fiero que nosotros. Hubiera encajado perfectamente en nuestro equipo. Pero en aquellos momentos eso no se pensaba. Rocce era nuestro enemigo y nuestro rival. Altivo y orgulloso vino directamente hacia nosotros.

Tampoco vaciló cuando a una señal de León todos nos levantamos. Le cerramos el paso como un muro oscuro y amenazador. Durante unos segundos lo único que se oyó fue el silbido del viento. Entonces León avanzó hacia él hasta que sus narices casi se rozaron.

—Hola, León —lo saludó Rocce fríamente. Pero León no era nada sensible a esas formalidades.

—¿Sabes por qué estamos esperándote? —le preguntó igual que se le pregunta a un enemigo.

Rocce asintió con los ojos.

—Bien —confirmó León—. Entonces llévales esta carta a los del Bayern.

Le puso la carta enfrente. Rocce la tomó y la miró. El sobre era negro como la noche y llevaba nuestro escudo como sello. De nuevo se insinuó una sonrisa en su cara. ¿Era de alegría, como volvió a parecerme, o de burla? En cualquier caso, a León le pareció de burla.

—Y otra cosa. Dile a tu papá y a todos los que piensan como él que no les aguantaremos ni una más.

La mirada de León era de pura hostilidad, pero no perdió la calma. Se hizo a un lado tranquilamente y dejó pasar a Rocce, que se quedó quieto un momento. Nos miró uno por uno y a mí me dejó para el último. Me miró tan intensamente a los ojos que tuve un presentimiento. Después subió la escalera sin abrir la boca y se metió en el salón. León lo siguió con la mirada y apretó el puño.

—¡Sí! —gritó y levantó la mano para chocarla—. Todo saldrá bien...

—Mientras seas una Fiera —contestó Fabi y la chocó con él.

Después entramos a clase.

EL PASTO PARECERÁ ROJO

Las dos semanas siguientes pasaron volando. Entrenábamos a diario y, junto con nuestro esfuerzo, volvió también el verano. Willi nos hacía trabajar muy duro, pero esta vez, a diferencia de cuando entrenamos para el partido contra los Vencedores Invencibles en aquel terreno lleno de agua, nadie se rebeló.

Estábamos llenos de lodo y de mosquitos dispuestos a darlo todo y repetíamos los ejercicios sin refunfuñar hasta que Willi quedaba satisfecho. Durante horas jugábamos hombre contra hombre y luchábamos por la pelota como si fuera el tesoro de algún pirata. Unos y otros nos recargábamos con el hombro, nos lanzábamos en el último momento por la pelota y, antes de que pasara un microsegundo, ya volvíamos a estar de pie para seguir jugando.

Parábamos la pelota a cualquier altura imaginable con el pie, el muslo, la barriga, el pecho y la cabeza y después, con la misma parte del cuerpo, la pasábamos inmediatamente o nos la poníamos para tirar.

Precisión, rapidez y visión de juego, eso era lo que Willi nos exigía. Y trabajo defensivo. Todos teníamos que estar en todas partes. Sí, incluso León, nuestro goleador, tenía que bajar a defender en los contraataques del adversario.

Corríamos y corríamos hasta que la lengua nos colgaba tanto de la boca que hubiéramos podido pisárnosla, pero seguíamos corriendo. Corríamos y corríamos hasta que las piernas, por decididos que estuviéramos a continuar, nos fallaban. En mitad de un adelanto al área de penaltis, de un salto o de un tiro a la portería errábamos el disparo y caíamos sobre el pasto como si alguien nos hubiera cortado las piernas. Pero sólo era el agotamiento. Y nos quedábamos tendidos como muertos, convencidos de que jamás en la vida podríamos volver a levantarnos. Pero entonces venía Willi, nos daba un jugo de manzana (que se evaporaba con sólo tocar nuestros labios), esperaba tranquilamente hasta que recuperábamos la respiración y nos perdonaba la vida.

—¿Eso es todo lo que pueden hacer? —preguntaba muy serio, y nosotros lo mirábamos indignados y con los ojos vidriosos—. Pues ya se pueden ir olvidando del partido contra el Bayern. No sólo son el mejor equipo de la liga nacional: tampoco a los niños hay quien les gane. Ya lo verán. En cuanto suene el silbato de inicio, el pasto cambiará de color: parecerá rojo. Ésos no tienen sólo a un Juli Huckleberry Fort Knox: tienen a siete. Sentirán como si jugaran contra veintiocho. Así que, ¿qué están esperando? Levántense de una vez.

Pero nos quedábamos tendidos. No podíamos más y lo único que pensábamos era: «¿Qué sentido tiene todo esto?».

Un día Willi se me acercó, precisamente a mí, no a León o a Fabi. Se agachó y me preguntó:

—¿Cómo va tu asma, Félix? Pregunto si te exijo demasiado, si ya no das más de ti.

Lo miré sorprendido y tomé aire con cuidado. Esperaba el silbido habitual y el dolor en el pecho, pero no había rastro. Fue como si se me cayera una venda de los ojos. Desde el duelo con el pistolero por el dulce de manzana no había vuelto a tener ningún ataque de tos.

—No me exiges demasiado —le contesté sonriendo.

Willi también sonrió.

—Bien, y día a día vas a ir mejorando. Estoy muy orgulloso de ustedes, ¿lo sabían?

Entonces me puse de pie. No pude evitarlo. Tuve que hacerlo para disimular mi emoción y mi alegría. Pero además tenía otro motivo: de repente ya no estaba cansado.

—¡Eh!, Willi tiene razón. Cada día somos mejores —grité a los demás y les contagié mi energía.

Seguimos con el entrenamiento y al anochecer, cuando fuimos a casa, parecía que flotáramos sobre una nube. ¿Conocen esa sensación cuando el cuerpo está totalmente agotado y al mismo tiempo uno se siente ligero como una pluma? ¡Era genial! Cada vez que alguien se despedía decía absolutamente convencido:

—Todo saldrá bien...

Y los demás contestaban:

—... mientras seas una Fiera.

Y lo decíamos muy en serio.

LA AYUDA DEL PINGÜINO

Quince días después de lanzar nuestro desafío, nos encontramos a Rocce esperándonos a la entrada de la escuela. Estaba sentado en los escalones del patio, igual que nosotros hacía dos semanas, pero él no se levantó cuando nos acercamos. Sacó la carta del bolsillo y nos la dio sin decir nada. Al hacerlo nos miró y me pareció que se sentía muy desgraciado. «Pero quizá», pensé, «sólo era algo que hacía para mentirnos, una actitud muy suya».

No nos atrevimos a abrir la carta ahí mismo. Casi nos mata la curiosidad mientras esperábamos que se acabaran las clases para poder reunirnos con Willi. Fue él quien abrió el sobre con su navaja. Desplegó el papel y hasta que no lo leyó dos veces para sí y se echó la gorra hacia atrás y se rascó la frente no empezó:

—«Queridos Fieras» —dijo. Suspiramos, gemimos de impaciencia y pusimos cara de indignación. ¿Qué forma de empezar una carta era ésa? Queridos y fieras: dos palabras que no estarían juntas ni con pegamento—. «Queridos Fieras —repitió Willi, quien tampoco podía ocultar su rabia—. Queridos Fieras. Les agradecemos el "desafío" (desafío entre comillas) —indicó Willi enojado—, pero lamentablemente el equipo infantil de nuestro club ya tiene comprometidos todos sus partidos amistosos».

Willi nos miró.

—Pero eso no es todo —dijo—. Hay una posdata: «Por favor, queridos Fieras, comprendan que es el propio Bayern de Múnich quien elige a sus rivales. De modo que no podremos contestar en el caso de que insistan en su petición».

Después, silencio. Tanto silencio que nuestra rabia podía tocarse y olerse. Una tormenta amenazaba en el horizonte y finalmente estalló como un volcán...

—¿Qué cosa? —gritó Marlon.

—Esos fanfarrones —maldijo León.

—Fracasamos... —renegó Fabi.

Y yo añadí rabiando:

—No nos toman en serio. No les da la gana jugar con nosotros.

Maldición. Después de este estallido nos quedamos sin palabras.

La rabia salía de nosotros como
el aire de un globo ponchado.

¿Qué podíamos hacer ante un rechazo como aquél? Era como el pronóstico del tiempo: mañana lloverá. Punto. Algo así es absolutamente impotente. Enojado, León empezó a arrancar el pasto a patadas.

—Esos malditos debiluchos —insultaba—. ¿Saben una cosa? Lo que pasa es que no nos merecen.

Nos miraba como si eso pudiera consolarnos, pero no era así. Callados, decepcionados y humillados hasta el tuétano por segunda vez nos sentamos en el suelo y empezamos a tirar de los tallos de pasto como un rebaño de ovejas idiotas. Ni siquiera a Willi le sirvió de gran cosa echarse la gorra hacia atrás y rascarse la frente: tampoco se le ocurrió nada.

Markus rompió el silencio.

—León tiene razón. No nos merecen, ésa es la verdad. Pero creo que hay una manera de lograrlo. Vamos.

Y se levantó de un salto.

—Vamos, muévanse. No hay tiempo que perder. Ya es la una y media y tenemos que hablar con Edgar antes de que mi madre se quite la ensalada-mascarilla de la cara.

No entendíamos nada, pero Markus ya se había puesto en marcha y no nos quedó otro remedio que seguirlo.

—Ya saben —nos explicó en el camino—, que mi madre es actriz. Por eso cada día se llena la cara con pepinos o queso fresco hasta las dos. A esa hora vienen generalmente los de la prensa, que publican lo del queso y los pepinos en los periódicos. Y Edgar es el que lo coordina todo.

—Coor... ¿qué? —preguntó Joschka.

—Escoge a los periodistas y vigila lo que escriben. En política eso se llama propaganda, creo, o censura.

—*Popalata, colochina y cezura,* ya entiendo —dijo Joschka haciéndose el importante. Y adelantándose a Markus llamó a la puerta de la mansión, grande como la de un castillo.

Al cabo de un instante nos abrió Edgar, el pingüino, ejem, quiero decir Edgar, el mayordomo (sólo que siempre lleva un traje muy divertido que me recuerda a un pingüino). Su cara estaba tallada en madera y su nariz apuntaba a las nubes. Ésa era la actitud que adoptaba siempre que quería dar a entender a cierta gente que no eran bienvenidos. Pero ése no era nuestro caso. La cara de palo se le ablandó y le apareció una sonrisa de plastilina.

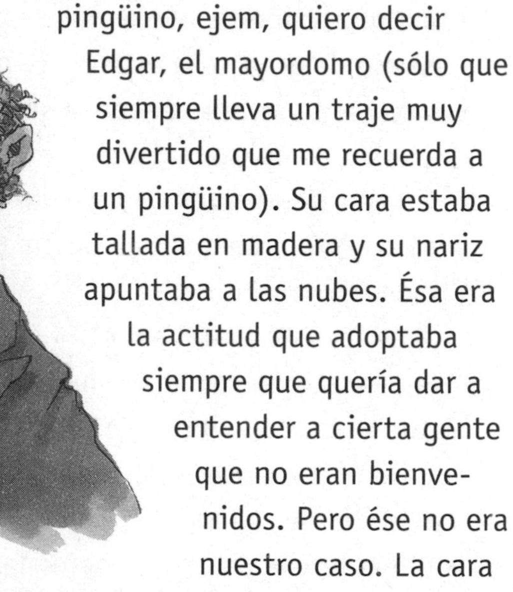

—Hola, Edgar, ¿qué periódico viene hoy? —Markus no perdió el tiempo.

Pero Edgar se volvió otra vez de madera, levantó la nariz hacia las nubes y se comportó como siempre que trataba con nosotros.

—*Oh là là.* Así no, *señogues.* Antes, la *contgaseña.*

Nos revolvimos nerviosos. ¿Cómo íbamos a saberla?

—Maldición —dijo Markus—. Todo estará bien...

—*Mientgas seags* un Fiera. *Exactement.* —Sonrió Edgar otra vez de suave—. Y *ahoga, señogues,* ¿qué puedo *haceg pog* ustedes?

—Ya te pregunté, Edgar —exclamó Markus—. ¿Qué periódico viene hoy? Necesitamos una entrevista.

—Necesitamos *popalata, colochina y cezura* —subrayó Joschka.

—Sí, y que nos tomen una foto. Entonces, ¿qué periódico, Edgar?

—El *Tageszeitung,* pero, oh, *mon Dieu,* es muy *ogdinaguio.*

—¡Es perfecto, Edgar! —gritó Markus entusiasmado—. Es exactamente lo que necesitamos. Entonces, ¿podrás hacer que escriban algo sobre nosotros y distraer a mi madre mientras?

Markus miró a Edgar con ojos de E.T., el extraterrestre, y el pingüino, más que de plastilina, pareció un helado derritiéndose al sol.

—*Oh là là, señog juniog.* Esto no es *coguecto.* Esto vale mucho. Esto vale un *contgato* como socio de *honog* de Las *Fiegas.*

¡Hecho! Al cabo de diez minutos estábamos en el garaje. Los periodistas nos tomaron la foto y hablamos con ellos. Al principio fueron como los del Bayern, terriblemente arrogantes. Pero nos los metimos en el bolsillo. Pasada media hora ya estaban de nuestro lado y, cuando les dábamos las gracias y nos despedíamos, nos hicieron una señal con una sonrisa de complicidad.

—Todo saldrá bien... —dijeron.

—Mientras seas una Fiera —les contestamos devolviéndoles la sonrisa. Exactamente la misma sonrisa que puso Willi cuando fuimos a verlo a la tienda antes de ir a la escuela. Desplegó un periódico con la tinta aún fresca y nos enseñó la foto que nos tomaron. Pero eso no era todo. Impreso en nuestros colores, con letras gruesas y negras como la noche, ponían:

El Bayern no es lo bastante fiero paras Las Fieras

¡Uauh! Justo en el blanco. Aquello era una cachetada en plena cara. Una ofensa así no podía pasarla por alto ni el Bayern. Y al cabo de dos días Rocce trajo una segunda carta que sólo decía: «Aceptamos su desafío. Este domingo a las nueve y media en nuestras instalaciones».

Ya nada podía detenernos. Llamamos a todos los que habían rechazado ser nuestros patrocinadores y los invitamos al partido. Para nosotros era una gran satisfacción que nos viera hasta el tendero seboso. Seguimos entrenando aún más duro y nos sentíamos infinitamente más fuertes. Todo nos salía bien, hiciéramos lo que hiciéramos, y nos olvidamos de la palabra «agotamiento». Sólo la escuela y la noche interrumpían el entrenamiento y las noches cada día eran más cortas. Cuando estaba tan oscuro que ya no veíamos nada, Maxi tomaba la joya de su colección, un balón fosforescente que brillaba en la noche con luz naranja, y jugábamos con él hasta que aparecían nuestros papás para llevarnos a nuestras casas.

No había quien nos frenara. El viernes antes del partido, cuando el sol se ponía sobre las copas de los árboles, recibimos nuestra recompensa. Willi nos reunió, sacó una caja grande de cartón de la tienda y la puso adelante de nosotros. Después nos llamó uno por uno y nos repartió un paquetito blando, envuelto en papel blanco, que sacaba de la caja. Fue como si nos dieran una medalla o nos volvieran caballeros. Luego nos dio permiso para abrir los paquetes. Por primera vez desde hacía una semana nos quedamos sin aliento, noqueados, pasmados.

Cada uno sostenía, impresionado, una camiseta negra como la noche y unas calcetas naranja chillón.

Willi sonrió tímidamente y se rascó la frente para disimular lo emocionado que estaba.

—¿Qué pasa? No son un mantel. Pónganselas —dijo con voz ronca. Y les aseguro que no tuvo que repetírnoslo. No necesitamos ni dos minutos para hacerlo. Nos contemplamos los unos a los otros con ojos brillantes, sintiendo, sin acabar de creérnoslo, las calcetas naranja chillón sobre las pantorrillas y el escudo de Las Fieras sobre el pecho.

¡Qué increíble! Cuánto habíamos esperado aquel momento. Cuando Willi agarró la cámara y nos tomó una foto, resplandecíamos tanto de felicidad que no necesitó el flash. De pronto Willi se puso serio. Se agachó ante nosotros y se quedó unos segundos observándonos.

Nos miró uno a uno y al final dijo:

—Estoy orgulloso de ustedes. Son un equipo de verdad y espero que siempre lo sean. Incluso si el domingo pierden.

Fue como un jarro de agua fría. Maldición, ¿por qué nos decía eso? Justo en aquel momento. ¿Quería desanimarnos? ¿Acaso no sabía lo que nos jugábamos? Una derrota era imposible. Si no, volveríamos a perderlo todo, estaríamos arruinados durante años

y el padre de Maxi nos confiscaría las camisetas. Pero Willi no hizo caso de nuestras protestas.

—No. Por favor, piénsenlo. Es tan importante como entrenar. Créanme. Esta noche, en algún momento, les va a entrar miedo, miedo a perder a pesar de todo. Y si el domingo llegan al partido contra el Bayern con ese miedo, no les ganarán nunca. Y si pierden por culpa de ese miedo, después del partido todo se acabará. Todo habrá sido inútil y Las Fieras estarán acabadas.

Nos quedamos como piedra.

Willi se frotó las manos sudorosas en las piernas sobre el pantalón y se levantó.

—Vamos a casa. Mañana no hay entrenamiento. Nos vemos el domingo a las nueve en las instalaciones del Bayern. Mañana no vayan muy tarde a la cama.

UNA PRUEBA DE VALOR

Nos fuimos a nuestras casas muy callados. Y cuando llegó la noche, resultó que Willi tenía razón. Nos entró miedo.

Al principio no lo tomamos en serio. Pensábamos que Willi tenía la culpa por habernos hecho pensar en eso y que a la mañana siguiente habría desaparecido. Pero al día siguiente el miedo continuaba ahí. Nos evitamos los unos a los otros. Hasta Marlon prefirió leer un libro, cosa que nunca hacía naturalmente, antes de hablar con León. Pero en realidad sólo miraba las páginas y ni siquiera se dio cuenta de que lo había agarrado al revés.

Después empezamos a llamarnos pero el que recibía la llamada mandaba decir que no estaba en casa. Nadie estaba dispuesto a confesar que tenía miedo aunque pensáramos: «Maldición, Willi tenía razón. Así no ganaremos nunca».

Yo me había pasado el día entero en mi

cuarto cuando mi mamá me llamó a cenar. Volvía a haber buñuelos y eso me dio una idea:

—Mamá —dije—, ¿podrías volver a ser el pistolero?

Mi madre me miró extrañada, pero después se encogió de hombros, empuñó la cuchara y dijo con voz ronca y profunda:

—¿Qué es lo que quieres, muchacho? ¿No tuviste suficiente?

Sacudí la cabeza.

—No, mamá, así no. No hace falta que volvamos a jugar a eso. Quiero hablar contigo, quiero decir de verdad, ¿entiendes?, de hombre a hombre.

Por un momento reinó el silencio. Pero mi madre tragó saliva y volvió a ser la mejor madre del mundo. Me escuchó y se lo conté todo: lo del miedo y que teníamos que librarnos de él. Y así, hablando «de hombre a hombre», mi madre tuvo una idea.

—Necesitan poner su valor a prueba —dijo—. ¿Te acuerdas del viejo puente de madera que hay sobre el canal? Ese desde el que querías saltar con tu padre el año pasado. Pues ve ahí inmediatamente.

—Pero... está muy oscuro —respondí bastante asustado. Maldición, el puente del que hablaba mi madre estaba a más de seis metros de altura—. Tenemos que ir a dormir temprano, lo dijo Willi. Y además, el año pasado nos dijiste cosas terribles porque quería saltar, y al final no salté.

—Sí, pero el año pasado era tu madre. —Sonrió—.

Y me alegré mucho de que no te atrevieras. Pero ahora estamos hablando de hombre a hombre y no sé si Willi preferirá que duerman un poco menos o que se orinen de miedo en el partido.

La miré indeciso. ¿Era realmente mi mamá a quien tenía enfrente? Maldición. Sólo con pensar en el puente me daba vértigo. Noté que el miedo me recorría la espalda como agua helada. Si íbamos al puente y no nos atrevíamos a saltar, ya podíamos ir olvidándonos del partido contra el Bayern. Pero mi madre era un pistolero y los pistoleros son, como saben, totalmente despiadados. Sin decir nada más, sacó una mochila de abajo de la mesa.

—Aquí tienes una toalla, el traje de baño y un termo con té. —Sonrió—. Sólo tienes que subirte a la bici y buscar a los demás.

Tragué saliva, pero no tenía elección. Tomé la bolsa, saqué la bicicleta del sótano y fui primero a la casa de Marlon y León. Luego recogimos a Fabi, a Juli y a Joschka. Después fuimos a buscar a Raban y a Maxi y, finalmente, con la ayuda de Jojo y Edgar, el Pingüino, nos llevamos a Markus enfrente de su padre sin que se diera cuenta.

Sólo dije:

—El pistolero tiene una idea para que nos libremos de una vez por todas de este maldito miedo. —Y los demás asintieron, tomaron sus cosas y me siguieron sin dudarlo. No les conté nada del puente. Temía que, si se enteraban, no quisieran acompañarme.

Saltar al canal desde el viejo puente de madera venía a ser como subir por primera vez al Everest y sin botellas de oxígeno. La única oportunidad que tenía era llevarlos ahí y esperar a que ninguno se rajara.

Me paré a la mitad del puente y apoyé la bicicleta en el barandal. Entonces me di la vuelta hacia los ellos. Estaba oscuro y la luna teñía las caras de mis amigos con el color del miedo. Blancos y asustados, se agarraban del manubrio de la bicicleta y me miraban.

—Estás loco —dijo León, que fue el primero en comprender lo que el pistolero nos exigía.

—No puede ser —gritó Fabi.

—En cuanto a mí —declaró Raban muy tajante—, quítatelo de la cabeza. No voy a saltar.

—De acuerdo, como quieras —dije—, pero yo sí voy a hacerlo. Estoy harto del miedo. Ya me escondí de él demasiadas veces.

Me desnudé y me subí al barandal del puente. Me di la vuelta. Respiraba pesadamente y el pecho me comenzó a silbar.

—¿Saben? Siempre que tengo miedo me da asma. Exactamente igual que ahorita. Pero lo que pasa es que nunca me atrevo.

Me enderecé y miré el agua, totalmente negra. La luna y las nubes que se reflejaban debajo de mí convertían el canal en el infierno más profundo del mundo. Maldición, no quería saltar, igual que Raban. Ya me veía hundiéndome para siempre, más y más

hondo, en las negras aguas. Me temblaban las rodillas. El corazón se me salía por la boca. Un escalofrío volvió a recorrerme la espalda. Pero ya no era momento de echarme para atrás.

—¡No! —grité desesperado.

Y salté. Los demás tiraron sus bicicletas, corrieron al barandal del puente y contemplaron cómo desaparecía entre las negras aguas.

El impacto fue duro y el agua estaba fría. Pero de pronto todo resultó fácil. Me sentía ligero como un pájaro y me dejé llevar hasta la superficie otra vez. Necesitaba tomar aire, pero no tenía ni rastro de miedo.

El asma había desaparecido. Me sentía fantásticamente y estaba lleno de felicidad.

—¡Estoy vivo! No aterrice en el infierno. Por todos los santos, ¿qué esperan? Fue realmente genial.

Pero los demás se me quedaron viendo como si no quisieran creer que hubiera sobrevivido al salto.

Nadé hasta la orilla, subí a gatas a tierra y volví en seguida al puente.

—Saltemos juntos. Vamos, quítense la ropa o se pasarán la vida pensando que son unos cobardes. León, eso también va para ti.

Miré a León directamente a los ojos y, aunque se estaba mordiendo el labio inferior de miedo y de rabia, asintió.

—Félix tiene razón.

Dos minutos después estábamos todos en el barandal del puente mirando a las negras profundidades. Sentía el miedo de los demás y Raban, que estaba a mi lado, me tomó la mano.

—Todo saldrá bien —dije.

—Mientras seas una Fiera —replicó Raban con voz baja pero decidida.

Entonces saltamos todos a las profundidades, cada uno maldiciendo el miedo a su manera.

El agua del canal se cerró sobre nuestras cabezas y puso todo negro. Pero el negro, ya saben, es nuestro color y cuando uno no tiene miedo, es más ligero.

Flotamos en el agua como rayas majestuosas y cuando salimos a la superficie gritamos nuestra felicidad a las estrellas.

EL DÍA DE LA VERDAD

El siguiente día empezó de manera relajada y tranquila. Era el gran día, pero no estábamos nada nerviosos. A las nueve nos encontramos con Willi en la puerta de nuestro campo de futbol. Aunque no le contamos nada de la prueba del puente, pareció como si supiera lo que había pasado. Lo vio en nuestros ojos radiantes.

—Bien hecho —se limitó a decir. Entonces se subió a su motocicleta y nosotros lo seguimos con las bicis.

En la calle Säbener estaban las instalaciones deportivas del Bayern. Eran gigantescas y, como era domingo por la mañana, estaban completamente desiertas. Al principio no sabíamos adónde ir, pero entonces vimos a nuestros rivales.

El equipo infantil del Bayern nos esperaba enfrente de los vestidores. Estaban sentados en silencio. Nos miraron de arriba abajo sin decir nada, ni siquiera cuando les pasamos por enfrente para ir a cambiarnos. Pero su mirada hablaba por ellos. El artículo del periódico había herido su orgullo y su honor y estaban firmemente decididos a hacernos pagar. El único que evitó mirarnos fue Rocce, que tímidamente mantuvo los ojos en el piso.

En los vestidores reinó un silencio sepulcral. Sólo se oyó el frufrú de la camiseta al ponérnosla (cosa que hicimos como si ya lo hubiéramos hecho miles de veces). Entonces nos llamó Willi y nos dio la alineación.

Markus el Invencible a la portería, por supuesto. Adelante de él, de centro, Juli Huckleberry Fort Knox. A su izquierda Maxi, el hombre con el tiro más potente del mundo, y a la derecha Marlon, el número 10. Adelante, Fabi, el delantero derecho más rápido del mundo; Jojo, el que baila con el balón, en la izquierda y en el centro de la delantera, naturalmente, León.

Willi se volvió hacia Raban y hacia mí.

—Tranquilos —dijo—. Hoy nadie se quedará con las ganas. Cuando Fabi y Jojo pierdan el aliento, será su turno.

—¿Y yo? —preguntó Joschka dolido.

Willi lo miró sobresaltado. Joschka tenía tres años menos que nosotros y era más bajo de estatura. Aunque estuviera decidido a lo que fuera, ante el Bayern no tenía la menor oportunidad. Willi se echó la gorra hacia atrás y se rascó la frente.

—Tú eres mi ayudante —dijo.

Pero eso no consoló a Joschka. Así que Willi añadió sonriente:

—Sí, y quién sabe, quizá hasta seas nuestro comodín.

—¿Qué es un comodín? —preguntó Joschka.

—Algo así como los refuerzos —respondió Willi sonriendo. Joschka no sólo se quedó contento sino que encabezó orgullosamente nuestra marcha cuando saltamos al campo de juego.

Mientras, el mundo se había transformado. Las instalaciones del Bayern ya no estaban vacías. Nuestros padres estaban allí, incluidos la madre de Jojo y Edgar, el pingüino. Pero eso no era todo. Markus se frotó los ojos y me pidió que lo pellizcara: junto al mayordomo estaba su mamá y, junto a ella —¡oh, milagro!—, su papá, el que odiaba el futbol.

—Maldición —musitó Markus—. Si perdemos ya no podré escaparme del golf.

Maxi notaba la mirada de su padre, que estaba entre todos los patrocinadores (vendedores de coches, tenderos y especialistas en informática) cuidando su dinero, el dinero que su banco nos había prestado y con el que habíamos pagado las camisetas.

Pero a León aquello no le interesaba. Pasó de los espectadores y clavó los ojos en el que era su verdadero enemigo: Giacomo Ribaldo, la superestrella brasileña, que calentaba en el campo de al lado.

Cuando notó la mirada de León, no se alteró en lo más mínimo y fingió estar allí por casualidad.

Al dirigirnos a nuestros puestos y pasar por enfrente del tendero seboso, éste nos lanzó una mirada burlona que rebotó en nosotros como una pelota de tenis en una locomotora.

Rebosábamos seguridad en nosotros mismos y durante el calentamiento y en los tiros a la portería nos salió casi todo. Después de una chilena de León hasta los del Bayern interrumpieron su calentamiento. ¿O fue que el silbato del árbitro nos llamó a media cancha?

El intercambio de saludos fue helado y el saque inicial le tocó al Bayern. Empezaron desganados e indiferentes. Y así controló Rocce la pelota. Trotó hacia nuestra portería lentamente. Entonces, sin que nadie se lo esperara y con la velocidad del rayo, colgó la pelota sobre el área. En un abrir y cerrar de ojos, el delantero centro del Bayern se plantó en el área de penalti. Ni siquiera Juli consiguió seguirlo y Markus tuvo que cubrir el ángulo. Esperaba un tiro y seguro que lo habría parado. Pero el delantero centro pasó la pelota a la izquierda, donde Rocce, surgiendo de la nada, se elevó, tiró y la metió por la escuadra.

Reinó el silencio. Uno a cero a su favor y en el primer minuto. El tendero sonrió burlonamente. Los padres de Maxi y Markus fruncieron el ceño y, en el campo de al lado, Giacomo Ribaldo pasó trotando muy contento enfrente de nosotros.

Por unos instantes todos nos quedamos en estado de shock, pero en seguida recordamos la prueba del puente de madera. Corrimos a media cancha y nos apresuramos a sacar. Rápido como el rayo, León pasó el balón a Marlon, que lo cedió en seguida a la derecha. Allí corría Fabi, que lo paró con la rodilla y avanzó en diagonal hacia la portería del Bayern. Centró el balón al área a ciegas. No necesitaba mirar dónde estaba León. Lo sentía y lo sabía de todos los entrenamientos y, efectivamente, acertó el pase. León controló la pelota mientras se daba la vuelta y, haciendo una finta, se abrió una vía directa a la portería. O, mejor dicho, eso le pareció, porque inmediatamente se le pegaron a los talones tres defensas del Bayern. El pasto ya no era verde. Mirara a donde mirara sólo veía la camiseta roja de los rivales. Pero no era el único: ninguno de sus compañeros estaba solo. Willi ya lo había dicho: el Bayern jugaba con veintiocho. Antes de que León pensara todo esto ya había perdido la pelota y el adversario iniciaba un contraataque.

De nuevo, Rocce recibió el balón y corrió hacia la derecha. Nosotros contábamos con que centraría a la portería, pero la pelota voló por encima de nuestras cabezas hacia la otra banda. El delantero izquierda del Bayern se la devolvió a Rocce de un cabezazo y éste no vaciló. Chutó antes que el balón tocara el suelo y metió la pelota en la portería, esta vez por abajo, pegada al poste.

Dos a cero y tres escasos minutos de partido. Intercambiamos una mirada: la cosa iba peor que contra Michi el Gordo y sus Vencedores Invencibles... y al menos en aquel partido podíamos echarle la culpa al miedo. Un miedo que habíamos olvidado desde el día anterior, desde nuestro salto a las profundidades del río. No, si íbamos por detrás del Bayern en el marcador era simplemente porque eran mejores. Y su cabeza y su corazón se llamaba Rocce.

Lo busqué secretamente con la mirada y vi con sorpresa que él también me observaba. Volvió despacio a su posición sin dejar de mirarme. Pero no había ni rastro de burla en sus ojos, lo único que había era confusión. De pronto, se le torció el pie izquierdo. Gritó, se agachó unos momentos y abandonó el campo cojeando y sin una sola palabra.

«Ésta es nuestra oportunidad», pensamos nosotros en seguida. León se encargó de convertir en realidad nuestra determinación. Después del saque desde el centro del campo, en vez de pasar hacia atrás a Marlon se fue de frente hacia el adversario, arrastró a tres del Bayern detrás de él, hizo una finta y pasó el balón a la derecha, a Fabi, que subió como una flecha a la portería del Bayern y chutó. La pelota voló de maravilla desde la línea de veintidós metros, se estrelló contra el poste y rebotó al fondo de la red. Dos a uno. El hielo estaba roto. Después de dos paradas a lo Oliver Kahn de Markus salté al campo.

Corrí por la banda derecha, superé a dos adversarios y pasé la pelota a León, que la desvió con el empeine hacia Raban. Se la puso en bandeja: con el pie izquierdo, igual que contra los Vencedores Invencibles, Raban metió el balón en la red por debajo del travesaño.

—Dos a dos. Maldición, ya son nuestros —nos animaba Fabi mientras retrocedíamos a nuestro lado del campo.

Pero no: el Bayern volvió a ponerse a la cabeza y mantuvo su ventaja hasta que, poco antes del descanso, le hicieron una falta a León adelante del área grande. Del lanzamiento se encargó Maxi, por supuesto, el hombre con el tiro más potente del mundo. Maxi lanzó un trallazo a la escuadra izquierda por encima de la barrera del Bayern. Pero el portero rival no era el titular por casualidad: se estiró e intentó quedarse con la pelota, pero eso fue un error: los tiros de Maxi

no son de los que se dejan atrapar fácilmente y es mejor rechazarlos con los puños. León lo sabía y por eso estaba, como Gerd Müller, al acecho del rebote, que remató mortalmente al fondo de la red.

Tres a tres. Nos la estábamos pasando increíble. Al menos nosotros y nuestros padres. Hasta el padre de Markus participaba. Los patrocinadores y el padre de Maxi se acercaron a Willi para entablar negociaciones con él. Sólo había dos personas rabiando: el tendero seboso, que mordisqueaba sin parar el tercero de sus enormes puros, y Giacomo Ribaldo, cuya mirada se oscurecía con cada gol que metíamos. Cuando llegamos al final del primer tiempo no pudo aguantarse más. Interrumpió su entrenamiento y se acercó a su hijo.

LA VERDADERA CARA DE ROCCE

En el descanso, platicamos con Willi mientras tomábamos nuestros jugos de manzana. No había demasiado de qué hablar. Todo iba de maravilla. No habíamos cometido ningún error. Así que nos sobró tiempo para presenciar con todo detalle la conversación entre Rocce y su papá.

Estábamos demasiado lejos para oír las palabras, pero saltaba a la vista que estaban discutiendo.

—¿Qué le pasa? —preguntó Fabi—. Rocce está lesionado.

—Tiene miedo de perder. —Sonrió León perversamente.

Pero Willi se echó la gorra hacia atrás y se rascó la frente.

—No sé, no lo creo. Cuando León empató a tres, Rocce se puso a bailar de contento y no creo que nadie pueda hacer eso con un pie lesionado. Humm. ¿Qué opinan ustedes?

—Creo que tenemos que ganar —replicó León y los demás le dimos la razón.

Al fin y al cabo, nuestras camisetas y nuestro futuro dependían de esa victoria. Si perdíamos, el padre de Maxi nos confiscaría las camisetas y nos pasaríamos medio año pagando deudas. Para entonces estaríamos en invierno y ya podríamos olvidarnos del futbol hasta la primavera. Ninguno de nosotros quería eso. Yo tampoco lo deseaba, pero había en mí algo que se rebelaba contra lo que creía que estaba pasando.

—León tiene razón —dije—. Tenemos que ganar pero no porque nos dejen hacerlo.

Y me alejé con paso decidido. No hice caso de las protestas de mis compañeros y fui directo hacia Rocce y su papá, que le había quitado los tacos y le estaba examinando el tobillo, al que estaba claro que no le pasaba nada.

—¿Qué pasa aquí? —pregunté sin saludar.

Rocce me miró y después miró a su padre, pero esta vez no se dejó intimidar.

—Quiero que ganen Las Fieras —dijo furioso y decidido—. Así podré jugar con ustedes. Eso dijo mi papá y eso es lo que quise desde el principio. Pero me lo prohibió, me dijo que no me juntara con ustedes.

Miré a Rocce y después a su papá.

—¿Es verdad? —pregunté.

Pero Giacomo Ribaldo, el astro brasileño, no se dignó contestar a mi pregunta. Le volvió a ponerle los tacos a su hijo.

—Bueno y ahora escúchame con atención. Espero que juegues y que juegues tan bien como sabes, ¿está claro?

Rocce me miró buscando auxilio.

—¿Está claro? —repitió su padre. Y esta vez fui yo quien contestó en lugar de mi amigo.

—Clarísimo —dije sin dejar de mirar a Rocce—. No necesitamos que nadie nos regale nada. Pero nunca hasta ahora había visto un papá tan malo que separara a su hijo de sus amigos.

Miré a Ribaldo directamente a los ojos.

—A partir de ahora Rocce es mi amigo —dije— y a partir de ahora usted no podrá hacer nada para impedirlo. ¿Queda claro?

Después de lanzarle una última mirada aniquiladora regresé con mi equipo. León me recibió venenosamente.

—¿Por qué hiciste eso? —me abordó—. Si Rocce juega, seguro perderemos.

—Puede ser —dije—. Pero ganamos algo a cambio. Markus tenía razón. Era el papá de Rocce quien estaba en contra de nosotros desde el principio. Rocce es nuestro amigo.

León me miró fijamente y se puso aún más furioso, pero su rabia ya no iba dirigida contra mí sino contra Ribaldo, y cuando miré a mi alrededor, vi que a los demás les pasaba lo mismo. Entonces el árbitro nos hizo volver al campo de juego para empezar el segundo tiempo.

EL FINAL DEL FIN

Aprovechamos el saque y la rabia nos dio alas. Ni siquiera Rocce, que volvía a jugar, pudo parar a Jojo. El que baila con el balón superó su entrada y le pasó la pelota a León, que estaba dispuesto a llegar al área chica a pesar de la presencia de tres jugadores del Bayern. Por un momento pensé que la rabia le haría volver a ser el cabezota que ya conocíamos y que acabaría por enredarse entre las seis piernas de sus rivales. Pero no, mandó un centro hacia atrás con el talón a Marlon, que estaba muy atento. Éste apareció de repente, como si llevara una capa que lo hiciera invisible, y entonces, con sangre fría, pasó la pelota por encima del portero del Bayern con mucha facilidad y la envió al fondo de la red.

Tres a cuatro. Por fin íbamos ganando. Pero seguro que lo hubiéramos celebrado mucho más si hubiéramos sabido que era por primera y última vez.

Porque entonces salió el verdadero Bayern. También ellos sabían lo que era la rabia. Aún no habían olvidado el artículo del periódico y encima tenían a Rocce. Y Rocce acababa de ganarse diez amigos. Por eso jugaba como un dios y, aunque Juli estaba en todas partes y todos, incluso León, luchamos hasta el agotamiento, después de una chilena, tres cabezazos, tres voleas y un gol aniquilador con el talón, abandonamos el terreno de juego con una derrota de once a cuatro.

Ribaldo subió a sus hombros a su hijo y lo felicitó junto con el resto del equipo. Nosotros nos escabullimos a toda prisa ante la mirada del tendero. Los demás patrocinadores hacía rato que se habían ido. El padre de Markus, viendo la masacre, también había huido. En los vestidores nos quedamos solos.

Nos bañamos sin decir nada. El agua caliente nos sentó bien, pero cuando salimos de la ducha, el padre de Maxi estaba llevándose las camisetas dentro de una maleta.

—Lo siento —dijo—. Lucharon como valientes.

Y se fue.

TODO SALDRÁ BIEN, MIENTRAS SEAS UNA FIERA

Por la tarde, nos dedicamos a lamernos las heridas. Tumbados en la hierba de nuestro campo, pensábamos en cómo pagar las deudas. Durante medio año tendríamos que renunciar al futbol. Era espantoso y cruel, pero no nos arrepentíamos de nada. Había sido nuestra propia decisión y no fue inútil. Descubrimos que Rocce era nuestro amigo y recuperamos su amistad. Habíamos descubierto lo solo que estaba y que era su padre quien tenía la culpa. Pero las cosas iban a cambiar y ya estábamos impacientes por que llegara el lunes. A partir de entonces lo veríamos en clase y en los recreos podría jugar en nuestro equipo aunque su papá no quisiera.

Pero el lunes Rocce no fue a la escuela. Nadie justificó su falta y pensamos que quizá no volvería más. Quizá su papá lo había llevado a otra escuela para evitar que se relacionara con nosotros.

Por la tarde volvimos a casa tristes y decepcionados. Fabi se ganó dos euros por ayudar a su madre a limpiar la casa. Maxi tuvo que cuidar de su hermana por un euro la hora, lo que se tradujo en cuatro horas de jugar a papás y mamás con la casa de las barbies. Por el mismo precio, Marlon y León tuvieron que arreglar su cuarto. Raban ayudó a su madre en la oficina destruyendo viejas actas en la trituradora de papel a diez centavos la hoja. Juli y Joschka ayudaron a su madre a pintar la cocina y el baño, que aún estaban húmedos por la última «limpieza». Pero no les pagó nada, por desgracia eso quedó bien claro desde el principio. Lo mismo que Jojo: ni el internado para huérfanos ni su madre tenían dinero para darle. Y el más rico de todos, Markus, se había esfumado. Tal como había predicho, se pasaba el día en el campo de golf.

Pero de repente todo cambió. A media tarde llegó una invitación a la casa de cada uno de nosotros (el padre de Markus, que estaba en el campo de golf practicando golpes con su hijo, recibió una llamada al celular).

Al cabo de una hora estábamos todos, incluidos Willi y nuestros padres, adelante de una puerta gigantesca de hierro forjado en una calle llamada La Puerta del Cielo en la que las casas eran como fortalezas.

La puerta del número 13 se abrió elegantemente y pudimos ver que se celebraba una fiesta en el jardín. Había farolillos por todas partes, y mesas y sillas donde se sentaban estrellas como Giovane Elber, Pizarro, Roque Santa Cruz y Oliver Kahn. Nos estaban esperando y cuando por fin nos atrevimos a cruzar la puerta, aplaudieron. Rocce y su padre aparecieron en la terraza como si fueran a dar un discurso. Se hizo el silencio.

Giacomo Ribaldo carraspeó y se rascó la cabeza, como Willi.

—Me alegro de que hayan venido —nos saludó—. Aunque la última vez fui poco amable con ustedes. Pero de verdad que lo siento y espero que pueda recompensarlos con esta fiesta. Porque además celebramos otra cosa. Hacía tiempo que mi hijo se sentía solo, pero ahora encontró a diez amigos que son realmente buenos. Y lo que aún nos alegra más es que estos diez amigos juegan en el mejor equipo del mundo.

Nos miró, buscando especialmente a León con la mirada.

—Sí, tenías razón: incluso sin Rocce y sin vencer al Bayern lo demostraron. No me di cuenta antes. En casa, en Brasil, yo mismo jugué en un equipo así. Por eso les vuelvo a pedir perdón y espero que dejen a mi hijo Rocce ser otra vez una Fiera.

Lanzamos gritos de alegría. Rocce tenía la cara radiante y puso la maleta de las camisetas en el barandal de la terraza.

—Sí, y para que podamos jugar, mi papá decidió ser nuestro patrocinador.

Abrió la maleta y sacó las camisetas. Nos quedamos pasmados. Eran aún más bonitas que antes. Cuando Rocce les dio la vuelta, vimos que cada camiseta llevaba un número y un nombre en la espalda. Gritamos y silbamos de alegría, y todos aplaudieron cuando Giacomo Ribaldo nos llamó uno por uno para hacernos el honor de entregarnos nuestra camiseta.

León lucía, naturalmente, el 13. De esta manera Giacomo Ribaldo, que era el 13 del Bayern, le demostraba su respeto. Marlon el 10, Markus el 1, Juli el 8, Maxi el 11, Fabi el 4 porque era su número favorito y Jojo estaba radiante con el 12. Rocce se había decidido por el 19, Raban tenía el 99 porque siempre nos sorprendía y Joschka, el comodín, una «X».

Finalmente llegó mi turno y antes de que Giacomo Ribaldo me entregara mi camiseta, pidió silencio nuevamente.

—Para Félix elegí el 7 —dijo—. El siete es un número mágico. Quizá sea porque vengo de Sudamérica, pero después de lo que hizo por Rocce, por mí y por Las Fieras, de verdad creo que Félix tiene poderes mágicos.

El aplauso fue ensordecedor y me puse rojo como un jitomate. Pero por suerte no duró demasiado. La comida estaba lista y los camareros llamaron a nuestros padres a la mesa. A nuestros papás, pero no a nosotros. Nosotros habíamos empezado un partido. Con las camisetas puestas, jugamos por fin con Rocce en nuestras filas y, ya sé que no me van a creer, contra Giacomo Ribaldo, Giovane Elber, Roque Santa Cruz, Pizarro y Oliver Kahn. Sí, de verdad. Y como había faroles por todas partes, jugamos hasta muy tarde.

LOS MEJORES TRUCOS DE LAS FIERAS

Existen muchas y variadas publicaciones sobre futbol: libros, periódicos, revistas, juegos de computadora... En todos ellos hallarás magníficas jugadas y consejos útiles para practicar este deporte.

También Las Fieras tienen jugadas maestras y trucos que compartir. Pero, ya sabes, Las Fieras no son un equipo como los demás. León ya lo dejó claro desde el primer libro: Las Fieras no son solamente un equipo de futbol ni su perro Sock es un suave peluche. No, Las Fieras son una pandilla de locos por el futbol que viven al límite y juegan sin complejos. Por eso inventan sus propios ejercicios de entrenamiento. Y eso es exactamente lo que encontrarás en este libro y no en cualquier otro.

Estos ejercicios también los utilizó Willi para entrenar a Las Fieras antes del primer gran partido.

Como ya saben, todos los niños, cuando empiezan a jugar futbol, cometen el mismo error: sólo corren tras el balón. Si observan un partido de futbol entre principiantes los verán a todos correr de un lado a otro para tomar el balón donde quiera que vaya. Incluso, aunque haya dos equipos acaban peleando todos contra todos por tener la pelota. Y las cosas no mejoran cuando crecen, piensen en Raban el Héroe, que olvida que lleva puestos los lentes; o en León el Gran Driblador, que con su obsesión por tirar él solo el disparo a la portería perjudica a los demás miembros del equipo.

El futbol es un juego de equipo y sólo cuando sean capaces de utilizar la fuerza del grupo van a poder ganar. Por eso lo primero que hay que aprender es que no se trata sólo de correr tras el balón. No, el jugador que no tiene la pelota es también importante. Si se mueve en la dirección correcta y consigue desmarcarse, es el perfecto aliado para ayudar al que lleva el balón. Los pases para gol son igual o más importantes que el gol en sí mismo. Y otra cosa que hay que recordar: esto no es más que el principio; una vez efectuado el pase, en lugar

de quedarse mirando qué pasa, deben correr de nuevo para desmarcarse y conseguir situarse bien para avanzar a la portería. Una y otra vez.

Y eso es exactamente lo que Willi les enseñó a Las Fieras cuando los obligó a practicar con Sock, el perro de Marlon y León, un perro grandulón y de dientes afilados que se vuelve loco en cuanto ve un balón.

Dibuja un círculo con tus amigos y pon a tu perro en el centro. A continuación trata de pasar la pelota y pásenselas unos a otros evitando que el perro se las quite (y sin salirse del círculo). Si consiguen diez pases seguidos, habrán hecho una muy buena actuación. Y a continuación, inténtenlo de nuevo procurando que los pases sean cada vez más rápidos y con mejor control del balón. Tiren con precisión y corran para colocase en buena posición para recibir la pelota de nuevo. Y si no saben hacia dónde deben correr, fíjense en el perro: él les enseñará el camino. ¡Ah! y no importa de qué raza sea. En realidad, cuanto más pequeño, más precisos tendrán que ser.

Para aumentar el nivel de dificultad, prueben con una pelota más pequeña y con menos

jugadores. ¡Incluso pueden probar con varios perros al mismo tiempo! Y si no tienen perro, pongan a un jugador y luego a dos o más en el centro y repitan la operación. ¡Ésta es la forma en que entrenan los profesionales!

Si consiguen veinte pases seguidos (y sin hacer trampa con un perro ciego o algo por el estilo), lo habrán conseguido.

RRRAAAA
MARKUS
12
4
1

Joachim Masannek
nació en 1960; estudió filología alemana y ciencias audiovisuales. Ha trabajado como camarógrafo, escenógrafo y guionista en diversas producciones de cine, televisión y estudios de grabación. Es el entrenador de las verdaderas «Fieras» y el responsable del libro para niños y la película con el mismo nombre. Es el padre de dos jugadores de futbol: Marlon y León.

Jan Birck
nació en 1963, es ilustrador y caricaturista, colaborador en películas de animación y director artístico en publicidad y películas de animación. Vive con su mujer, Mumi, y sus dos hijos jugadores de futbol, Timo y Finn, entre Múnich y Florida.

Las Fieras Futbol Club: Félix el Torbellino,
de Joachim Masannek
se terminó de imprimir y encuadernar en abril de 2013
en Quad/Graphics Querétaro, S. A. de C.V.
lote 37, fraccionamiento Agro-Industrial La Cruz
Villa del Marqués QT-76240